Inagaki
Hidehiro

稻垣荣洋
科学散文集

战斗的植物

[日] 稻垣荣洋 / 著
[日] 小堀文彦 / 绘
覃佳 / 译

贵州出版集团
贵州人民出版社

著作权合同登记号 图字：22-2024-132 号

图书在版编目（CIP）数据

战斗的植物：稻垣荣洋科学散文集 /（日）稻垣荣洋著；覃佳译 . -- 贵阳：贵州人民出版社，2025. 1.
(N 文库). -- ISBN 978-7-221-18802-1

Ⅰ . Q94-49

中国国家版本馆 CIP 数据核字第 2024CK7535 号

ZHANDOU DE ZHIWU (DAOYUANRONGYANG KEXUE SANWENJI)
战斗的植物（稻垣荣洋科学散文集）
［日］稻垣荣洋 / 著
［日］小堀文彦 / 绘
覃佳 / 译

选题策划　轻读文库　　出 版 人　朱文迅
责任编辑　杨　礼　　特约编辑　姜　文

出　　版　贵州出版集团　贵州人民出版社
地　　址　贵州省贵阳市观山湖区会展东路 SOHO 办公区 A 座
发　　行　轻读文化传媒（北京）有限公司
印　　刷　天津联城印刷有限公司
版　　次　2025 年 1 月第 1 版
印　　次　2025 年 1 月第 1 次印刷
开　　本　730 毫米 × 940 毫米　1/32
印　　张　5.25
字　　数　97 千字
书　　号　ISBN 978-7-221-18802-1
定　　价　30.00 元

关注轻读

目录

Chapter 01 花王的真面目：植物*vs*植物

榕树

植物世界的激烈竞争

当我们凝视植物时，心灵会得到疗愈。

树木向太阳舒展叶片，花草展现绚烂的色彩。有时，人们会欣赏植物独特的生存方式。古往今来的圣贤都向往着能像植物一样宁静地生活。

植物世界似乎是一个和平、没有冲突的世界。然而，事实果真如此吗？这么说或许有些煞风景，但很遗憾，实际情况并非如此。

自然界是弱肉强食、适者生存的世界，植物界也不例外。

的确，与动物世界相比，植物世界看起来似乎没有什么冲突。

动物以捕食其他动物或食用植物为生，有时它们甚至会露出獠牙，用角互相搏斗。与之相比，我们可能会觉得植物无须杀戮其他生命，只需依赖阳光、水和土壤就能维持生命。

其实，为了争夺太阳之光、清水之润、土壤之肥等珍贵资源，植物之间也在激烈斗争。植物拼尽全力向上蓬勃生长，开枝散叶，就是渴望尽可能多地沐浴在温暖的阳光中，在与同侪的竞争中取得优势。若在这场激烈的生长竞赛中失利，被周遭同伴所遮蔽，那么光合作用将无法顺利进行。

而在土壤深处，一场看不见的战斗也在激烈地进行。植物深深扎根于土壤中，渴望汲取丰沛的水和养分。当然，其他植物的根系也在同一片有限的土壤空间里蔓延生长，争夺着水和养分。

植物看似平和，实际上也在激烈竞争，这或许会让人有些失望。但这正是自然界的真实写照。

阳光争夺战

植物之间围绕阳光的竞争或许是最激烈的。毕竟，没有阳光，植物就无法生存。

为了获得更多光照，植物必须不断将叶子伸展向更高的地方，超越周围的竞争者。然而，周遭的植物同样怀揣坚定决心，努力将叶片向着高处延伸。于是，它们只能在竞争过程中不断朝着天空伸展。

尽管每一株植物都渴望比其他植物长得更高，但要想在这场竞争中脱颖而出却异常困难，因为竞争对手同样以迅猛的速度成长。随着所有植物都生长到了极限，最终大家看起来都差不多高。这便是所谓的“等高现象”。

当植物的叶子向上生长并层叠成茂密一片时，底部的植物就逐渐被遮蔽，失去了阳光的照射。因此，底部的叶子开始逐渐凋零，形成了整株植物上半部独自繁茂的景象。

当我们踏入茂密的森林时，会发现只有树木上方有繁茂的枝叶，仿佛是覆盖在上方的屋顶。而在树木下方，光照逐渐减弱，叶子逐渐凋零。这种叶子聚集在植物上方的形态被称为“树冠”或“草冠”。

在森林中仰望树冠时，我们会发现，树木们的叶子相互交织组合，宛如拼图一般构成了树冠层。植物在争夺光和领地的同时，共同构筑起了这片森林。

牵牛花的观察日记

孩子们在暑假观察日记中经常提到的就是牵牛花。比如，他们会写道：“播下牵牛花的种子，首先冒出的是嫩绿的双叶。随后，一片本叶开始展露生机。”

到这儿还相对简单，接下来就不好记录了，因为牵牛花会接连不断地长出新叶子，并迅速地伸展出藤蔓。如果记录稍有懈怠，哪怕时间不长，牵牛花攀爬的高度也能很快超过孩子们的身高。只要支撑杆足够长，牵牛花不久就能爬到房顶，生长速度令人非常惊讶。

一般的植物需要依靠自身的根茎站立，因此必须在生长过程中使自己的根茎变得更加粗壮。而牵牛花属于藤蔓植物，能够依附于其他物体，无须借助自身的力量支撑身体，不用耗费精力去使根茎强壮，从而将节省下来的能量用在开枝散叶上。正因如此，它们才能够以惊人的速度展露出茁壮的生长之姿。

植物之间的竞争就是一场速度的较量。可以毫不夸张地说，植物生存的成功与否就取决于生长速度。若能抢占先机，快速成长，就能主宰广袤的领地，获得充足的阳光。反之，一旦落后，就会被其他植物遮蔽，无法得到足够的阳光。如果陷在其他植物的阴影之下，它们的生长速度会变缓，在生存竞技场中逐渐失去活力，最终成为颓废不堪、毫无胜算的失败者。

更快、更高

柔毛打碗花与牵牛花一样，同属旋花科植物。柔毛打碗花在白天开放，故而日语名意为“昼颜”（相比之下，牵牛花在清晨开放，其日语名意为“朝颜”）。

柔毛打碗花

牵牛花

其实，柔毛打碗花也是从清晨开始开花，但由于会一直开到午后，故此得名。

柔毛打碗花的生长速度比牵牛花还要快。牵牛花生长时，是双叶先冒出，接着是本叶，然后是藤蔓。而柔毛打碗花却别出心裁，令人惊讶：双叶冒出后，藤蔓竟然先于本叶长出。为了比竞争对手更快地生长，柔毛打碗花在叶子还未展开之际，就急不可待地展开了藤蔓。由于藤蔓在叶子出现之前就已经长出来了，因此非常纤细、瘦弱。不过，作为藤蔓植物，柔毛打碗花也不需要独立生长，只要缠绕并攀附在其他植物上就可以了。因此，细茎已经够用。与其让茎变粗，不如让它尽可能地延长，这样就能超越其他植物，抢占阳光。

藤蔓植物之所以能够快速生长，是因为它们大胆而贪婪地借助外力向上生长。与那些老老实实靠自己的根茎站立的植物相比，似乎有些狡猾，但在植物王国激烈的竞争中，藤蔓植物的生长手段却显得高效无比。

卷法各有千秋

藤蔓植物这种高效生长的战略，其他植物也会采用，只不过因为种类不同，生长方式也各有千秋。

牵牛花和柔毛打碗花是通过将藤蔓缠绕成螺旋状

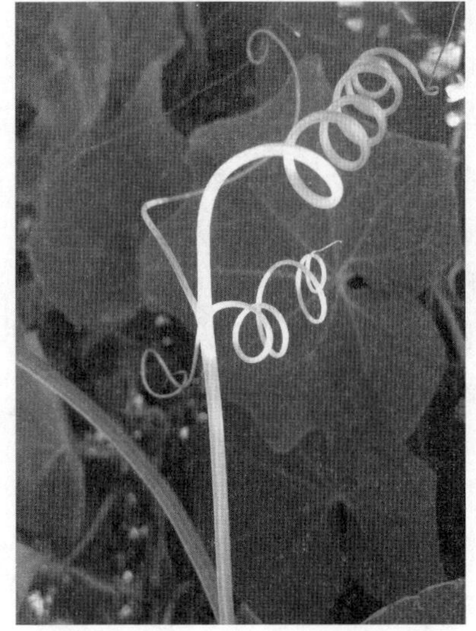
黄瓜的卷须

爬山虎

来生长，但葫芦科植物，如黄瓜和丝瓜，则是用卷须抓住其他植物向上生长的。卷须在缓慢旋转的同时，要去寻找适合抓住的支撑物。一旦发现，卷须就会缠绕在上面。

当然，卷须对支撑物的抓取也会有选择性。如果支撑物表面光滑，卷须就会停止缠绕，重新寻找新的支撑物。换句话说，卷须会通过感知支撑物的特性来选择是否继续缠绕。

这种卷须结构非常巧妙，即使顶端缠绕住支撑物后，也还会继续旋转。因此，卷须才能左右挪动前进，并卷成螺旋状。扭曲成螺旋状的卷须，就像弹簧一样可以自由伸缩，进而在保持弹性的同时，紧紧地攀附并固定在支撑物上。

还有些植物则可以轻松地攀爬垂直的墙壁，典型代表是爬山虎。那爬山虎为什么可以在没有抓手的墙壁上攀爬呢？因为爬山虎的卷须顶部配有吸盘，借助这些吸盘，可以轻松攀爬垂直的墙壁，甚至可以爬上藤蔓和卷须无法缠绕的粗壮大树。

如上所述，藤蔓植物的生长方式多种多样。然而，无论采用何种方式，它们的生长原理都是借助藤蔓并将其他植物作为延伸的支撑。有时，它们会生长得十分茂盛，甚至完全覆盖曾经支撑过它们的植物。

玫瑰的战略

俗话说：“玫瑰虽美，奈何带刺。”

如果你不小心碰到它，会扎到手。在日语中，玫瑰的名字源自“荆棘”一词。在古代，这个词用来泛指那些有刺的植物。玫瑰是带刺植物的典型代表。

藤蔓玫瑰

玫瑰的刺是树皮变化的结果。那么，玫瑰为什么会长刺呢？首先，它们可以保护玫瑰免受食草动物的啃食。不过，玫瑰长刺不仅仅是为了防御。

玫瑰最初是藤蔓植物。即便在今天，我们仍然能看到玫瑰有时顺着藤蔓攀爬到树篱和拱门上。在野外，玫瑰用这些刺紧紧抓住周围的植物，利用其他植物来加速生长和光合作用，从而为自己带来优势。

所以，玫瑰的刺并非仅仅用于防卫，还用于进攻。

最终，不择手段

依赖他人而成长壮大的想法，让一些植物打起了坏主意。

这类植物创意很新颖，不像其他植物一样是从地面长出藤蔓，而是让种子从树上向下生长。这是一种颠覆传统的成长方式。

这些植物一般生活在竞争异常激烈的热带森林中。植物的种子会随着鸟儿吃下的果实一起进入鸟儿的肚子里，然后随着其粪便被排出体外。这些种子和鸟粪一同落在树枝上，然后根须从树上向地面延伸，就像爬山虎沿着树干往上爬一样。

从外观上看，这类植物与其他藤蔓植物并没有什么不同，只不过普通藤蔓植物是从下往上爬，而它们却是从上往下长的。

但只要有一条根须到达地面，这种植物就会突然变成可怕的“杀手”。接触到地面后，根系便开始从土壤中汲取养分，使其迅速生长。原本缠绕在树干上的细藤会变得又粗又壮，然后像五花大绑一样捆住树木。用不了多长时间，原本的那棵树就会被覆盖，直到再也看不见。

以这种方式生长的藤蔓植物被称为“绞杀植物”，其中有名的几种以桑科无花果属为代表。绞杀植物缠绕覆盖树木，最终导致原本的树木凋零。

但实际上，原本的树木会死去，并非被绞杀植物勒死了，而是因为被覆盖后失去了光照，最终枯死。只不过表面上看起来，像是绞杀植物绞死了树木一样。

不过，即使被缠绕的树木腐烂凋敝，绞杀植物也不会倒下。因为到那时，它粗壮的根系已经牢牢地抓住大地，可以自力更生了。

在巨树林立的森林里，从小树苗萌发的植物很难独立生长。通过侵占原本的植物，绞杀植物在激烈的竞争中取得了成功。

寄生植物的战略

“依靠他人，不用受苦就能快速成长。”寄生植物进一步“发展”了藤蔓植物的概念，在其他植物体内扎根并窃取它们的养分。

在西方，槲寄生被视为一种神圣的植物，是生命力的象征。因为在其他树木叶片落尽的冬季，它仍能保持葱翠。西方自古以来就流传着男女在槲寄生下相遇要接吻的说法，而圣诞节之夜在槲寄生下接吻，更是会获得幸福。因此，在圣诞节期间，槲寄生常常被当作装饰挂起来，人们会邀请自己喜欢的人来到槲寄生下。

槲寄生的最初策略与绞杀植物相似，种子也会与吃了果实的鸟的粪便一同附着在树枝上。但与绞杀植物通过从树枝向地面延伸根系不同，槲寄生采用的是一种独特的方式——慢慢将根须嵌入树枝里。

槲寄生是一种“寄居树”。顾名思义，就是说它会像借宿一样，长在其他树身上。然而，槲寄生并不仅仅是在借宿，而是会把根须楔入其他植物的树干，从而吸取水分和养分。

从寄主植物中夺取所有营养的寄生植物叫作“完全寄生植物”。相比之下，槲寄生则是“半寄生植物”，因为虽然它是从其他植物中夺取营养，但自身

槲寄生

也能进行光合作用。

作为寄主的落叶树在叶子落尽后，槲寄生仍能保持青翠，是因为在寄主掉落叶子期间，它已经通过光合作用积累了能量。这确实是一种坚韧的植物。

不再需要茎和叶

植物竞相生长，延伸茎干，舒展叶片，一切都是为了通过光合作用来获取营养。然而，如果能够从其他植物中夺取养分，那么就不再需要光合作用。这样一来，岂不是就不需要茎和叶了？事实上，确实存在这样的寄生植物。

在芒草的根部悄悄绽放的野菰，也是典型的寄生植物。但与槲寄生不同，野菰属于完全寄生植物。野菰总是在芒草附近绽放，所以被称为“相思草”。在日本的和歌中，相思草象征着“暗恋”。

野菰只在纤弱的茎上开花，没有叶子。但这部分看似茎的东西，实际上是延长的花柄。也就是说，野菰在地上的部分没有茎和叶，只有花探出地面。实际上，野菰把退化后极短的茎和几片叶子藏在了地下，只有秋天的时候，花才会长出地面。这种纤细、羞怯的姿态很适合表达暗恋的意境。

野菰能够以如此纤弱的形态生存下来，原因当然是作为寄生植物，它本身不必进行光合作用，只

野菰

需要从芒草中获取养分即可，所以哪怕地上没有茎和叶，也能开花。对植物来说，最重要的事情当然是开花并留下种子，为此就需要茎和叶来获取养分。但野菰不费力就能获取这些养分，所以也就不需要茎和叶了。

花王的真面目

大王花被誉为“世界上最大的花”，其直径可达一米。19世纪，英国探险队首次发现这种花时，一度猜测它是食人花，因为大王花看起来就像地上张开了一张大嘴。

其实，大王花也是一种寄生植物，主要寄生在葡萄科植物的根部，汲取养分，然后直接开出花朵。对植物来说，最重要的器官是用来孕育种子的花。说得极端一点，植物生出茎、展开叶，无非是为了开花。这样看来，大王花没有多余的茎和叶，只有花，是一种理想的植物形态。

不仅如此，大王花甚至没有用于吸收养分的根，而是只有由细胞排列而成的菌丝状寄生根，扎入葡萄科植物的根部。因为不必独自站立，所以也不需要坚实的根系，只需要有像输液管一样细的寄生根就足够了。

世界上最大的花，竟然是不能自给自足的寄生植物，真匪夷所思。然而，正因为摆脱了多余的部分，成了没有茎、没有叶的植物，它才能够将全部的能量

大王花

集中于开花，所以开出了硕大的花朵。

舍弃根叶的恶魔

前面我们介绍了藤蔓植物牵牛花，其同类中有一种寄生植物叫作“菟丝子”。在日本，这种植物被称为“无根的藤蔓”。

菟丝子

菟丝子不需要进行光合作用，没有用于光合作用的叶绿素，所以颜色就像豆芽一样，呈柔和的黄白色。像寄生虫一样依赖他人而活的人，常常被形容为“吃软饭”。可以说，无根的菟丝子就有一副十足的“吃软饭”相。

尽管名为“无根的藤蔓”，但刚发芽的菟丝子实际上是有根的。为了寻找猎物，它的茎会沿着地面爬行，只是奇怪的地方在于，它不会理会人工支撑物或孱弱的植物。菟丝子就像寻找猎物的蛇一样，触摸着周围的植物，找到生命力最旺盛的植物后，就盘绕起来。虽然还没有完全弄清楚原因，但有人认为，菟丝子可以感知寄主植物散发出的微量挥发成分。

一旦缠绕到猎物上后，菟丝子就会摒弃掉不再需要的根，变成真正的“无根的藤蔓”。失去了从根部吸收养分的能力后，它会缠绕住猎物的身体，并从藤蔓上生出一连串獠牙状的寄生根，插入猎物体内并吸取养分。因此，菟丝子也被人畏惧地称为“黄色吸血鬼”。

看不见的化学战

为了争夺生存空间，植物们伸展枝叶，展开了激烈的竞争，不仅在地上，地下也是一片激战场。

植物伸展根系时，还会从根部释放各种化学物质。这些化学物质能够伤害周围的其他植物，阻止它们的种子发芽，从而击败竞争对手。

这种以化学物质为媒介的抑制现象，被称为“化感作用”——英文叫Allelopathy，源自希腊语，意为“互相影响”。因此，化感作用不仅限于植物之间的相互作用，还包括植物与微生物、植物与昆虫，甚至微生物之间的相互作用。此外，化感也不仅局限于抑制生长，有时还可能有促进生长的效果。

众所周知，在核桃树或红松树下，很难长出杂草或其他植物。这是因为核桃树和红松树的根部释放的化学物质会抑制其他植物的生长。

几乎所有植物都含有具有化感活性的物质。即使在看似宁静的植物世界，每天也在进行着使用化学武器的争斗。

盛极必衰

在具有强烈化感作用的植物中，麒麟草（中文俗名为“加拿大一枝黄花”）比较著名。

在河岸和空地上，我们经常可以看到大片的麒麟草。这种植物可以释放出有毒物质来抑制周围竞争对手的生长和萌芽，从而让自己尽情地生长。它能如此大规模地使用化学武器，确实令人惊讶。

然而，不知何时开始，麒麟草的势头似乎有所减弱了。曾经猖獗一时的麒麟草竟然日渐式微。而一些日本的野草，如芒草和荻草，如今又卷土重来，与麒麟草展开了竞争。

麒麟草长得很高，可以有两到三米。但最近也经常能看到高度只有五十厘米左右，已经开花的麒麟草。

为什么曾经不可一世的麒麟草会变得如此守规矩了呢？其中一个原因是“自我中毒”。麒麟草曾通过有毒的化学物质逐渐淘汰周围的其他植物，占据领地。然而，一旦其他植物被清除，原本用来攻击对手的毒素反而影响了麒麟草自身，阻碍了其生长。

植物世界中的力量平衡

然而，还有更奇怪的事情。

麒麟草是一种源自北美的外来杂草，但在原产地，麒麟草并没有大规模繁殖。

实际上，麒麟草在北美洲草原上的高度不会超过一米。秋天时，麒麟草美丽的花朵在野外盛开，远近闻名。它们没有像在日本那样野蛮生长，人们甚至还会在麒麟草生长的草原上开展相关保护活动。

初引入日本时，麒麟草因美丽的花朵而备受关注，人们希望将其用于园艺美化。然而，为什么这么美丽的花朵会在异国他乡的日本大肆生长呢？

不管是在北美还是日本，麒麟草都会通过根部释放化学物质。实际上，几乎所有植物都以某种方式通过根部释放化学物质，来抑制周围植物的生长。然而，如果植物容易受到此类化学物质的伤害，那战斗就没法继续了，所以周围的植物通常都会发展出防御

麒麟草

机制，以免受到伤害。由此形成的攻防平衡，使得化感作用在表面上并不明显。

在北美地区，麒麟草周围的植物经过长期斗争，逐渐发展出对抗麒麟草毒素的防御机制，因此保持了生态平衡，防止了麒麟草的过度蔓延。

然而，日本的植物对麒麟草释放的化学物质并没有有效的防御机制。尽管日本本土的植物也会通过根部释放各种化学物质，但缺乏有效应对麒麟草的物质。因此，自然生态系统无法保持平衡，麒麟草便大肆蔓延，成为高达两到三米的巨型怪物。

然而，在与其他植物的相互攻击中，麒麟草虽然保持了力量均衡，但好景不长，最终还是自己“毒害”了自己。同样，日本人熟悉的虎杖和芒草等植物，在其他国家也经常成为令人头疼的大型杂草。

即使表面上看起来悠然自得的植物，也在地下进行着相互攻击。然而，植物世界却能保持平衡，这正是自然界的神奇之处。

Chapter 02 逆境即顺境：植物 *vs* 环境

仙人球

战斗亦是一项艰难使命

植物之间的竞争，比我们人类想象的还要激烈。

枝叶在空中争夺阳光，而在看不见的土壤中，根系在争夺营养和水分。如果无法夺取足够的阳光，植物会在其他植物的阴影下枯萎；如果被夺走水分，植物会干枯而死。

所以，在这种竞争中要脱颖而出绝非易事。

想在竞争中获胜，必须具备相当的实力。只要有一丝取胜的机会，就要全力以赴。然而，有些战斗无论怎么看都毫无胜算。挑战困难固然是好事，但如果真的被击垮了，那就会一无所有。自然界是残酷的，战斗失败就意味着死亡。

强者虽然能够生存，但即使是胜利者，也不可能在战斗中毫发无伤。

无论植物多么努力地长出叶子，其他植物的叶子总会无情地来捣乱。尽管有一部分叶子最终抢到了阳光，其他见不到光的叶子也只能枯萎。此外，即便在激战中获胜，也会消耗大量的能量，造成不可估量的损失。

由此可见，即便是被称为强者的植物，参与竞争也是一件艰难的事情。

不战之策

在森林中，那些看似美丽繁茂的树木都是曾经克服困境的胜利者。在它们的阴影之下，有过许多在竞争中落败、因失去阳光而逐渐凋零的植物。但即便是那些看似恬静安详的植物，也面临着相当艰难的战斗。

战斗是残酷的，因此，有些植物试图尽量避免战斗。

英国生态学家约翰·菲利普·格莱姆将植物的生存策略分为三类，称之为CSR策略，其中的C是指Competitive，也就是竞争型。

自然界的竞争很严酷，强者生存，弱者灭亡，这是自然的法则。在激烈的生存竞争中脱颖而出的植物，就被称为“竞争型”。换言之，C策略是强大植物会采用的战略。

当然，自然界的有趣之处在于，并不一定总是强大植物采用的C策略能获得成功。竞争力较弱的植物为了能存活下来，也发展出了自己的策略，那就是CSR策略中的S和R。所有植物的生存策略，基本上都是由C、S、R三种策略的调节组合的。

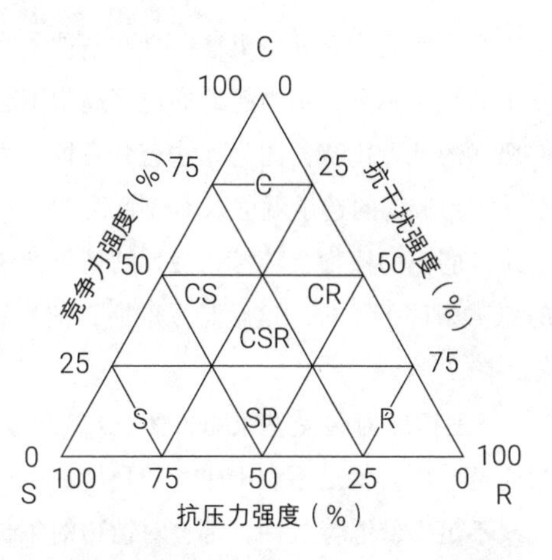

所有的植物都是通过改变C、S、R三个要素的平衡，来组成自己的策略的

弱小植物的S和R策略

在什么样的条件下，弱小的植物能战胜强大的植物呢？

我们可以借助体育比赛来理解这一点。在有利的条件下，出现意外结果的可能性较低。在良好的比赛环境中，每个人都有机会充分发挥自己的实力。因此，比赛结果通常与实力表现相符，对实力相对较弱的一方而言，获胜的机会自然较小。

反过来，如果条件恶劣会怎样呢？大雨倾盆、狂风大作，这样的条件可谓极差。没有人愿意在这样的条件下比赛。然而，意外结果往往是在条件不利的情况下发生的。实际上，实力超群的冠军通常不会愿意在条件恶劣的地方比赛，因为无法充分发挥实力。这样一来，实力较弱的选手就可以不战而胜。

因此，弱小的植物会选择在强大的植物无法施展拳脚的恶劣条件下生长。这就是采取所谓的S策略和R策略。

S策略是指压力耐受型策略（Stress Tolerance）。对植物而言，压力就是不利于生长的环境。例如，缺水、光线不足、低温等条件，都会对植物的生长造成压力。在这样的环境中，竞争力强的植物不一定会赢，因为没有可供充分竞争的空间。而S策略的植物却能抵御这种压力环境，在恶劣的环境中生存下来。在缺水的沙漠中能够存活的仙人掌或是耐寒的高山植物，都是S策略的典型代表植物。

R策略是指“杂草型”策略（Ruderal，指在荒地生长的植物）。采用这个策略的植物，对环境变化有很强的适应能力，在不可预知的环境中也能随机应变。我们身边最成功的R策略植物是杂草。

接下来，我们就去看看采用这两种策略的植物到底是如何在恶劣环境下战斗的吧。

仙人掌长刺的奥秘

仙人掌是典型的S策略植物，可以在强大植物无法生存的沙漠中生存。对植物乃至所有生物而言，水都是生存所必不可缺的。而仙人掌面临的最严峻的挑战，就是缺水。

仙人掌之所以全身长满刺，一方面是为了防止动物啃食，另一方面则因为叶子是进行光合作用必不可少的器官，而水分会从又薄又宽的叶子上蒸发掉。所以，为了防止宝贵的水分蒸发，仙人掌的叶子逐渐变成了细长的刺。

如果单纯考虑防止水分蒸发的话，刺的数量应该越少越好。可事实是，仙人掌的刺密布其上，而且若将所有刺去除，茎的温度将会升高。

所以，仙人掌上长满刺的另一个原因，是为了分散光线，防止光线直接照在茎上。而且，刺的细端还能吸附空气中的水分，起到一定的降温作用。可以说，仙人掌的刺确实是为了在沙漠中生存而演化出来的。

由于叶子演化为刺后无法进行光合作用，仙人掌便利用茎来完成这一过程。此外，仙人掌还将茎变粗，以便储存水分。这就是为什么仙人掌会形成粗茎上长着许多细刺的奇特形态。

当然，水分仍会从茎表面蒸发。为了减少这种蒸发，仙人掌需要尽可能减小表面积，而在相同体积下，球体的表面积最小，所以仙人掌中才会出现圆滚滚的球形品种。

用涡轮发动机提升动力

为了防止水分蒸发，仙人掌减小了叶片的表面积，并在表面形成了涂层。然而，问题依然存在。

植物必须进行光合作用才能生存，具体来说就是利用二氧化碳和水产生糖，作为能量来源。为了吸收二氧化碳，植物会打开被称为气孔的通风口。可是一旦打开气孔，宝贵的水分就会被蒸发掉。可是要进行光合作用，植物又必须打开气孔。因此，尽量减少打开气孔的次数，就成了关键。

解决了这个问题的植物被称为C4植物。不过，C4植物并不是指某一类植物，而是指拥有C4光合作用系统的植物。这类植物在单子叶植物和双子叶植物中都能找到。

那么，C4光合作用到底是怎么回事呢？一般植物进行光合作用的系统被称为C3途径。该途径最初产生的是拥有三个碳素的3-磷酸甘油酸，因此而得名。但是，C4植物除了这种通常的光合作用系统外，还多了一种更高效的系统，即C4途径，在最初会生成含有四个碳素的草酰乙酸。

汽车的涡轮发动机压缩空气，将大量空气泵入发动机以提高动力输出的系统。光合作用的C4途径也具有类似的机制，可以将二氧化碳压缩，并将其送入起发动机作用的C3途径。通过这一系统，植物的光合作用得到了显著提升。

根系在干燥时生长

尽管仙人掌的情况可能有些极端，但干旱的环境对所有植物来说都可能成为一种挑战。那么，植物是如何适应干旱的呢？接下来，我们就来探讨一下普通植物在干燥条件下的生存策略。

植物的生长可以分为两种类型：一种是肉眼可见的生长；另一种是不可见的生长，即根系在地下的生长。当水分充足时，植物的根系并不会像我们想象的那样迅猛生长。举个例子，当植物在水培环境下生长时，根系并不会大量生长，因为很容易吸收到水分，所以只需保持基本长度即可。

然而，一旦缺水，植物的根系就会有明显的增长。缺水越严重，根系就会越深入地下寻找水源，同时生长出许多细小的根毛，将根系扩展到各个方向。对根系而言，它们在干旱时才会展现出旺盛的生长状态。

在江户时代的《说法词料钞》一书中，有如下一节：

“夫田野之植物，既遇干旱则萎，得雨露则荣。其所以然者，由人工植之故也。而路旁之春草，则本土壤自然之所生，无待人工焉。是以获大地之滋润，其于干旱亦能不枯。”

人们常常羡慕路边的杂草，哪怕无人浇灌也能茂盛生长，而人类辛辛苦苦种植的作物，却在干旱中奄奄一息。此实不虚。作物日复一日受人浇灌，杂草却无人扶持，常年与干旱搏斗，其根系生长超凡。这些深根在干旱之际更能显其雄姿。

因此，植物在环境干燥时不会强求地生长枝叶，而是默默地扎根。

干旱中的繁荣

不仅仅是植物的根部会在干旱时扎根，还有些植物将干旱视为繁殖的契机。

比如说，水田里的杂草野慈姑就是一个典型例子。野慈姑生长在水源充沛的水田中。然而，为了控制水稻的生长，人们会抽干水田中的水，这个过程被称为“晒田”。水被一次性抽干后，土地会干裂。对野慈姑来说，这似乎是个严重的问题。野慈姑会安然度过危机吗？会因此枯萎吗？

没有，野慈姑展现出了异常顽强的生命力。被晒

野慈姑

干的野慈姑会迅速在土壤中生长出块茎。这种块茎类似于芋头，既是储存生长能量的地方，也是繁殖的场所。正是通过块茎的生长，野慈姑完成了繁殖。干燥恰恰成就了野慈姑的繁荣。

“芋头姑娘”或“芋头武士”这类称呼略带戏谑，给人一种粗糙、可笑的印象。但类似芋头的块茎对植物而言，是具有战略意义的器官。

在干旱的环境下，植物并非奋力生长茎叶，而是静静地在土壤中储存营养。这个储存器官就是“芋头”。有些芋头是由根部生长而来的，有些则来自茎部。例如，在蔬菜中，红薯便是一种被称为块根的芋头，而土豆则是由块茎形成的芋头。

因此，在不适宜生长的环境中，植物会静静地积蓄能量，等待适当的生长时机。

弱小的杂草

S策略之后，我们要介绍的是R策略。R策略被赋予了“干扰适应型”的名号，是因为它能够应对那些无法预测的激烈变化。

正如之前所述，R策略的代表植物是杂草。虽然杂草常常给人一种“顽强”的印象，但从植物学的角度来看，它们却属于“弱小的植物”。这里的“弱小”是指相对其他植物而言，在竞争中稍显实力不足。因此，杂草通常生长在其他强大植物无法生存的地方，如常被除草的农田里，或者经常被踩踏的路边。

不过虽然杂草看似弱小，但它们在面对艰难环境时却展现出了强大的适应力。作为弱小的植物，杂草会尽量避免与其他植物竞争。可这并不意味着它们在逃避。相反，杂草是在挑战更为严峻的环境。

可以说，对弱小的植物而言，生存的关键在于选择在何处施展自己的优势。

机遇藏在逆境之中

在优越的环境中，弱小的植物往往会被强大的对手压制。而在那些条件恶劣的、强大植物不易涉足的领地里，杂草却能够生存下去。因此，被反复铲除或者踩踏几乎成了杂草生存的必要条件。虽然对任何植物来说，被铲除或者被践踏都是不利之事，但对杂草而言，它们都不得不背负只有在逆境中才能生存的宿命。

简言之，杂草的战略可以用“善用逆境”来概括。

对杂草而言，逆境不是需要忍受的，也不是需要克服的，而是需要巧妙利用的。善于应对逆境，才是杂草精神的真谛。

举个例子，即使我们认为已将杂草清除得一干二净，但一个星期之后，它们又会以旺盛的长势覆盖那片土地。

除草时，我们只能有效清除看得见的杂草。但杂草为了应对紧急状况，早已在地下准备了大量的种子。这些埋藏在土壤中的种子被称为“种子银行”，就像我们把钱储存在银行来规避风险一样，杂草会通过这种方式进行风险管理。

一般来说，植物的种子在土壤中时不会轻易发芽。然而，杂草的种子却通常具备见光就发芽的特性。这是为什么呢?

杂草的种子埋在土壤中，等待着适当的机会。一旦土壤在除草时被翻动，种子就可以暴露在阳光下了。光线的照射意味着人类正在除草，而周围的其他植物已被清除。因此，杂草的种子会视此为良机，迅速竞相生长。换言之，人类的除草行为实际上诱发了杂草的生长。因此，除草反而可能导致杂草的增多。

逆境即顺境

对杂草而言，逆境才是顺境。

人们对路边的野草充满感情，因为它们被反复践踏，却仍能开出鲜花。然而，对杂草而言，即使被践踏也是一种机会。

一种名为“车前草”的杂草被雨水浸湿时，种子会分泌出一种果冻状的黏稠物质，使之变得黏黏糊糊。然后，种子便可附着在鞋底或车轮上，被带到其他地方。蒲公英是借风传播种子，车前草则是通过被踩踏来运送种子的。

被称为“春季七草”之一的繁缕是农村常见的杂草。但令人意外的是，它们如今在城市里也很常见。这是有原因的：繁缕的种子有像金平糖一样的凸起，会让它们容易嵌入鞋子底部的泥土中。由此，种子被携带到了各地，最终出现在了繁忙的都市中。

对车前草和繁缕而言，被践踏已经不再是逆境或需要忍受的事情，而是它们需要通过被踩来散播种子。如果不被踩，它们反而会遇到麻烦。路边的车前草和繁缕应该都是很希望被踩的。

车前草

繁缕

人们用除草机除草或是犁地翻土，似乎也是田间杂草的逆境。然而，当田野里的杂草被除草机或犁耕机撕成碎片时，它们会从茎部又长出根来。因为除草和犁地，杂草反而更加繁茂了。

Chapter 03 与恶魔的交易：植物*vs*病原菌

毒麦

健康产品的功臣

市面上流通着各种各样的“抗菌产品”，如抗菌喷雾、抗菌口罩、抗菌膜、抗菌塑料等，意在保护我们的身体远离细菌的威胁。

抗菌物质有多种来源，但许多被归类为天然成分的抗菌物质其实都源于植物。植物每天都在与病原菌作斗争。因此，所有的植物都在用抗菌物质来保护自身。

植物所含的抗菌物质多种多样。比如，柑橘皮中的柠烯是一种精油成分，可以用于制作洗涤剂。然而，它最初是一种抗菌物质，作用是保护柑橘的果实和种子。茶叶中含有的儿茶素也是一种具有抗菌活性的物质，其作用原本也是防止病虫害。一些蔬菜则会

柑橘

因为含有抵御病原菌的物质而产生苦涩的味道。

人类以各种方式利用着这种抗菌活性。例如，芥末的抗菌特性可以防止鲜鱼变质。此外，用有抗菌活性的植物叶子包裹柏饼和朴叶饼等糕点，也可以防止糕点变质。

另外，用于染色服装的靛蓝染料和用于给牛仔裤染色的槐蓝也具有抗菌活性。因此，它们才会被用来制作工作服和户外服，保护皮肤免受细菌的侵害。

此外，植物所含的抗菌物质对人类健康也有益处，可以被用作生药或草药，以保护人类不受疾病的侵袭。

对身体有益的植物成分

植物不仅含有抗菌物质，还含有许多对人体有益的成分。

例如，花青素和类黄酮等多酚，以及维生素等抗氧化物质，也是植物所含的健康成分。这些植物的抗氧化物质具有抗衰老、美肤、预防动脉硬化、预防癌症、抗压力、改善眼疲劳等各种神奇功效。

这一切不禁让人深思，为什么植物含有能抵御人类衰老、呵护肌肤的神奇物质呢?

植物自然而然地拥有各种物质，但并不会创造对自身毫无用处的物质。植物所产生的一切物质都是它们生存所必需的东西。

要深入探讨这个问题，或许我们需要从植物与其病原菌之间激烈的生存竞争说起。

某天，树叶上的一幕

来看某一天发生在树叶上的一幕。

突然间，事态紧急的信号传遍了所有树叶。病原菌出现了。

这就好像在我们人类世界中，刺耳的警报声突然响起。或许是这样的感觉吧。然而，植物没有眼睛，也没有耳朵，那么它们如何察觉病原菌的到来呢？树叶上并没有安装警报器。病原菌到来的信号是通过化学物质在细胞间传递的。病原菌会让植物体内产生一种名为“刺激素”的物质，通过感应这种物质，植物就知道病原菌已经到来了。

然而，谜团依然存在。为什么病原菌会产生让植物知道自己存在的物质呢？“刺激素”并不是一个特定的名称，而是“引发者”的意思。植物能感知病原体释放的物质，并采取防御姿态。

病原菌自然不会刻意为了让植物察觉到自己而释放这种物质。实际上，“刺激素”本是病原菌用来侵入植物的物质。就好像小偷想要悄悄溜进房子，可能会用铁丝开锁，或者用工具割破玻璃。但这样一来触发了防盗警报，警铃就会响起。同样，植物也会感知病原菌的入侵。不过，从外部观察，植物的防御反应似乎是由病原菌释放的物质引发的，这就是它们被称为“刺激素”的原因。

刺激素不仅包括病原菌释放的物质，还包括构成病原菌的细胞壁，或者是被病原菌攻击而破坏的植物细胞壁。因此，植物通过感知各种异常情况，来采取防御措施。

刺激素攻防战

病原菌释放出刺激素来攻击植物，但是植物拥有发达的防御系统，因此病原菌无法轻易感染植物体。植物的防御系统高度发达，几乎完美地抵御了绝大多数细菌的侵袭。尽管世界上细菌种类繁多，但大多数细菌都难以攻破植物的坚固防线。

然而，植物偶尔也会生病。

事实上，只有极少数的细菌能够成功感染植物，成为病原菌。这些被称为病原菌的细菌，实际上是那些成功侵入的细菌。

那么，这些病原菌究竟是如何破解植物所谓完美的防御系统的呢？我们可以想象一下，有一个小偷试图绕过那些可以发现任何异常的防盗警报系统。若此小偷心思灵巧，他会优先考虑如何使防盗系统失灵，而不是试图直接冲破它的防线。或许他会遮掩监控摄像头，剪断警报器的电线。这些都是常见手段。

病原菌也是如此。要突破植物几乎无懈可击的防御系统，实在是极为困难。因此，病原菌的策略是破坏这个系统的运行。

植物可以察觉到病原菌释放的刺激物质，并立即启动自身的防御系统。于是，病原菌会释放一些物质，试图阻止系统发挥作用。这些物质被称为“抑制剂”，在它们的作用下，植物的感应系统会被削弱。

当然，植物并不会坐以待毙。在感知到病原菌释放的物质后，植物能够做出调整，使自身的感知系统更早地察觉到抑制剂的存在，并迅速启动防御系统。换言之，对植物而言，抑制剂现在反而成了一种刺激物质。

而病原菌也不会坐视不理。对它们来说，如果无法突破植物的防御系统，也会面临生与死的问题。于是，它们会不断产生新的抑制剂，试图突破植物的防线。而植物则会进一步完善自身的感知系统。

从很久以前开始，植物和病原菌就开始了这场较量，你追我赶，不断演化。

战斗的开始

那么，植物的防御系统究竟是怎样的一种构造？

首先，也是最为关键的一步，是防止敌人入侵。

想象一下古代日本的城池，周围有深深的壕沟和高耸的石墙。或者是中世纪欧洲的城镇，周围筑有高高的城墙。

植物也采取了类似的策略。当你给植物浇水时，可能会注意到叶子抖落水滴的情景。这是因为叶子表面覆盖着厚厚的蜡层，就像一道坚实的墙壁，阻止敌人的入侵。病原菌在潮湿环境中更容易生长繁殖，而蜡层可以让叶片保持干燥，从而减少病原菌入侵的可能性。此外，蜡层下储存着抗菌物质，就像城墙下蓄满水的壕沟一样，植物通过这些手段抵御了病原菌的入侵。

然而，仅凭这一点还不足以阻止敌人入侵。在攻城战中，敌人很可能会攻击城门入口。植物也有一个易受攻击的入口，那就是“气孔”。

植物叶片内部有呼吸和通风的气孔，而这些气孔很可能成为病原菌入侵的突破口。当植物感知到病原菌的到来时，体内会传递病原菌到来的信号。于是，为了防备入侵，植物便会首先关闭气孔。

然而，战斗才刚刚开始。尽管气孔关闭，但病原菌并不会罢休。它们会破坏细胞壁，试图强行闯入。于是，植物会在细胞壁受损处凝结细胞内的物质，构筑防线。这是一场生死搏斗。然而，病原菌的攻击异常顽强，防线被击溃只是时间问题。战斗不可避免，一场全面的防卫战即将打响。

氧气曾是废弃物

在植物与病原菌的角逐中，氧气扮演着重要的角色。为什么氧气会加入这场角力赛呢?

在我们深入植物与病原菌之间的较量之前，先来了解一下氧气的本质。

回到三十六亿年前，那时地球上氧气还十分稀少。大气中弥漫着二氧化碳，就像金星和火星一样。那时候的微生物并不依赖氧气呼吸，而是靠分解硫化氢来维持生命。

但接着，植物的远古祖先——植物浮游生物登场了。

它们开启了通过阳光来制造能量的光合作用。这是一场化学的交锋，利用二氧化碳和水合成糖，作为能量的来源。光合作用释放出的能量巨大，让植物能够快速成长。

然而，光合作用也有其不足之处。在化学反应中，糖的生成会伴随着氧气的释放。实际上，氧气是光合作用的副产品，是一种废弃物。

那时，氧气在大气中并不常见，因此光合作用并不算是环境友好的循环系统。地球上大量繁殖的浮游植物将废弃的氧气排出体外，大气中的氧气浓度逐渐增加。

或许令人惊讶的是，氧气是一种“剧毒物质”，能使一切物质生锈。即便是坚固的金属，比如铁和铜，一旦接触到氧气，也会逐渐生锈腐蚀。构成生命的物质也会在氧气的作用下受损。因此，植物释放氧气的行为，曾经在一定程度上也算是环境污染。

氧气引发的进化

然而，植物释放到大气中的氧气，深刻地改变了地球环境，引发了生命进化的巨变。

当氧气接触照射到地球上的紫外线时，会转化为“臭氧”。由植物浮游生物释放的氧气转化成了臭氧，它们在大气层中聚集起来，最终形成了臭氧层。

然而，这臭氧层对生物进化的影响却出乎意料。

过去，地球受到大量的紫外线辐射。这些辐射会损害DNA，对生命构成威胁。这也是紫外线灯可以消毒的原因。

但是，由氧气产生的臭氧却具有吸收紫外线的能力。臭氧层原本是由植物释放出的废气聚集而成，却阻挡了有害的紫外线辐射到达地表。这个保护层的出现，使海洋中的生物得以走向陆地。随着氧气含量的增加，那些能够吸入“有毒”氧气的生物也开始逐渐出现，这就是我们呼吸氧气的生物祖先。

虽然氧气“有毒”，但同时也提供了爆发性的能量。这些生物吸入氧气，获得了四处活动的能力，并且利用氧气来生产坚韧的胶原蛋白，逐渐强大自己的身体。

这些生物吸入氧气，产生能量，释放作为废料的二氧化碳。因此，能够利用植物排放出的氧气的生物的出现，使地球上的氧气开始循环。

活性氧登场

植物释放的氧气彻底改变了地球的面貌，对生物进化产生了深远影响。氧气原本是能使一切生锈的有毒物质，再加上活性氧的加入，更是锋芒毕露，任何物品都难以幸免于其腐蚀之手。

但植物却将这股力量用在了自卫上。一旦植物细胞嗅到病原菌的气息，便会大量生产活性氧，以对抗入侵者。这种氧气的涌现，被形象地称为“氧气大爆发”。

曾经，这些活性氧被视为极具攻击性的武器。但随着病原菌的进化，这样的武器渐显不足为惧。如今，几乎没有病原菌会害怕活性氧了。然而，这股力量对于植物的防御系统仍然至关重要，即便对病原菌而言，并不构成真正的威胁。事实上，大量活性氧的释放更像是在向周围发出紧急警示，告诉周围的细胞备战待敌。

周围的细胞感知到这股力量的涌现，便会筑起坚实的防线，准备抵挡病原菌的来袭，以增强自身的抵御能力。然后，它们会生产大量抗菌物质，为迎击病原菌做好充足准备。

然而，加固细胞壁和生产抗菌物质都需要时间。在细胞做好准备之前，病原菌可能已经深入细胞内部。若遇此情形，植物细胞只能诉诸最后的手段。

这是一场生死较量的最终决战。

决一死战

植物细胞被病原菌入侵后采取的最后一招，是自我毁灭，与敌人同归于尽。

因为大多数病原菌只有在活细胞中才能存活，所以随着细胞的死亡，被困在其中的病原菌也注定了只能消亡。细胞以自身生命为代价，捍卫着植物。

对旁观者而言，或许只见病原菌入侵细胞并将其击溃，然而事实并非如此。尽管某些病原菌可能通过侵入并杀死植物细胞来存活，但更多的是通过剥夺活细胞的营养来生存。因此，当被侵袭的植物完全死亡时，情况对病原菌反而不利。细胞的死亡并非被病原菌击败致死，而是植物主动控制细胞自我毁灭。

这种细胞自我死亡的现象被称为“细胞脱噬”，也被称为“计划性死亡”。

在这种情况下，细胞凋亡不仅发生在真正被病原菌入侵的细胞中，还会波及周围尚未被入侵的健康细胞。就像在山火肆虐时，为了遏制火势蔓延，人们可能会主动烧毁周围未受火焰侵袭的树木那样，植物通过消灭周围已被病原菌侵袭的细胞，也能有效地阻止病原菌的扩散。

观察受到病原菌攻击的植物叶片时，你可能会发现上面出现了斑点状的褐变。这些斑点不仅仅是疾病的症状，更可能是细胞自我毁灭的痕迹，是植物为了阻止病原菌侵袭而做出的自我牺牲的象征。

终战之际

这些英勇的细胞以自愿献身，为植物又一次带来了和平。这个结局似乎很圆满，但实际情况并非如此。

顺带提一下，我们之前提到这场战斗的故事，是为了解释植物如何能够抗衰老、美化皮肤的原因。实际上，植物与病原菌的战斗故事还有续集。

在与病原菌的激战中，植物会大量产生活性氧，成功击退病原菌后，这些活性氧会残留下来。然而，活性氧是一种剧毒物质，对植物自身也会造成不良影响，因此残留的活性氧必须被清除。

这就是多酚和维生素等抗氧化剂在植物中的作用。它们能够快速清除残留的活性氧，保护植物免受其害。

人体内也会产生活性氧，它们会损害细胞，引起各种症状。而植物中的抗氧化剂则可以帮助清除人体内的这些活性氧。

当然，人体也有自己清除活性氧的系统。但植物频繁产生和清除活性氧，因此其抗氧化剂的种类和数量要远远超过人体。因此，借助植物的抗氧化剂，人类能够更好地保持健康。

植物的多效成分

从植物中提取的成分，还具备其他独特之处。

在抗击病原菌的同时，植物还制造着各种抗菌物质和抗氧化剂。但制造这些化学物质，耗费了许多原材料和能源，使得本来应该用于生长的养分和能量必须转化为原料。若过度专注于抗击病原菌，植物的生长速度将减缓。这样一来，植物间的战斗将以失败告终。毕竟，资源的可利用性是有限的。

因此，植物要创造出一种同时拥有多种功能的物质，以达到一举多得的效果。例如，花青素是一种可清除活性氧的抗氧化剂，但同时也具有抗菌功效。

不只如此，花青素还能溶解于水中，增加渗透压，提高细胞在干燥时的保水能力，防止在低温下冻结。

此外，花青素也是色素，能够赋予物体紫红的色彩。植物利用这一特性，将花瓣染色，以吸引传播花粉的昆虫，或给果实染色，以吸引传播种子的鸟类。玫瑰花的红色和葡萄果实的紫色也得益于花青素。

最后，这种色素还具有吸收紫外线的作用，可保护植物免受伤害。这一切究竟实现了多少目标啊？

植物所含的许多成分，都能够发挥多种作用。而这些多功能成分在人体内也可能发挥意想不到的好处。

被邪灵附身的植物

在《新约圣经·马太福音》第13章中，提到了一种名为“毒麦”的植物。

毒麦

顾名思义，毒麦含有毒素，误食会导致家畜中毒，对农作物造成严重威胁。据《新约圣经·马太福音》的描述，毒麦的种子是在人们熟睡时被魔鬼撒播在田间的。

然而，深入研究后发现，毒麦本身并非有毒植物。那么，为何家畜食用后会中毒呢？

事实上，毒麦之所以具有毒性，是因为受到了一种丝状真菌的感染。这种真菌会产生毒素。一旦毒麦被这种有毒真菌感染，真菌就会释放出毒性物质，以防止动物食用，从而保护其自身的生存环境。

但为什么毒麦被感染有毒真菌后，却还能安然无恙呢？

与恶魔的交易

真菌感染、寄生在毒麦身上，还在其中制造毒素。但仔细想想，这种真菌实际上给毒麦带来了莫大的益处。若由植物自身负责毒素的生产，那将是相当高昂的代价。

相较之下，真菌为了自我保护而产生毒素，则为植物带来了庇护，使其免受牲畜的摧残。即便真菌从中获得一些养分，但考虑到植物能够避免成为牲畜的盛宴，这样的安排或许更为明智。

因此，毒麦选择与这些生产毒素的真菌相伴而存。毒麦为真菌提供栖身之所，真菌则不辞辛劳地生产着毒素，以保护植物的身体，二者建立起了一种微妙的共生关系。

这些真菌早在很久以前就开始在毒麦的体内安家落户，可以感染种子，而且一旦感染，就会一代又一代传承下去。在4400年前的法老墓中发现的毒麦种子，便已经深受这种真菌的感染。

但毒麦并非唯一的例子，植物体内寄生真菌产生毒素的情形并不鲜见。

因此，最初寄生于植物体内的微生物通常被称为“内生菌”（endophyte）。该词的英文由希腊语的“endo”（意为内部）和“phyte”（意为植物）构成，意为“植物体内”，所以在日语中，它叫“植物内生菌”。

谁主沉浮

内生菌是寄生在植物体内的微生物的总称，并不限于某一特定种类。被归为内生菌的微生物可谓种类繁多。在感染植物的微生物中，大致分为真菌类和细菌类两大类别。

真菌类成员属于霉菌家族。相对于细菌类而言，“真菌”一词意味着“真正的菌类”，我们所熟知的真菌包括用于发酵食品的酵母菌，以及导致脚气的癣菌。

另一方面，细菌的意思则是“细小的菌”，是因为其体形相对较小，是单细胞生物，仅由一个细胞构成。常见的细菌包括乳酸菌、大肠杆菌和纳豆芽孢杆菌。

值得一提的是，虽然病毒也能引发疾病，但它们并非生物的一部分。病毒缺乏自身细胞，只能借助其他生物的细胞进行繁殖。由于生物的定义涵盖了自我繁殖的能力，所以病毒不被视为生物。

有些被称为内生菌的微生物，实际上包括真菌和细菌。

就如同我们在毒麦的例子中所见，这些微生物能够产生毒素，并制造各种生理活性物质，在植物体内发挥着积极的作用。

举例来说，除了产生对动物有毒的物质以防止被食用外，有些内生菌还会产生能够驱避昆虫的物质，从而避免植物受到害虫的危害。

激发植物自身潜能

内生菌的存在赋予了植物本身意想不到的力量。

虽然它们与植物共生，但内生菌同样是植物体内的微生物入侵者。因此，植物会在适度的刺激下迎来自身防御系统的启动。

持续运行防御系统会耗费很多能量，使植物感到疲惫。然而，内生菌的刺激可以让植物保持警惕状态，随时准备启动防御系统。

这样一来，当外部病原体入侵时，植物就能像我们接种弱毒性流感疫苗，以便产生抗体去对抗流感病毒一样，迅速而有力地启动防御系统了。

此外，抗病的防御系统与抗干旱等环境适应性系统有着许多共同之处。因此，感染内生菌不仅能增强植物对抗病原体的能力，还能使其更具抵抗干旱的能力。

当然，对寄生植物内的内生菌而言，产生这些效果并不是坏事。如果寄主植物被其他病原菌夺走生机或因干旱而枯萎，内生菌也会自身难保。因此，为寄居植物增添力量，从而使其更为强大，对内生菌而言是有意义的。

与微生物共生

这种与微生物共生的现象绝非孤例。

实际上，植物与真菌的共生现象十分普遍。

植物生长所需的三种元素是氮、磷和钾。然而，植物根系无法直接吸收重要的磷酸，因为磷酸会与土壤中的铁和铝结合在一起，使植物无法独立吸收。

因此，许多植物会依赖一种名为“丛枝菌根菌”的真菌。植物的根部被菌丝包裹，仿佛穿上了一层柔软的丝袜，这些菌丝就是丛枝菌根菌。有了这种真菌的协助，植物就能提取和吸收磷酸了。此外，菌丝的吸水能力也使得植物能更有效地吸收水分，从而更加耐旱。

真菌协助植物根系吸收水分和养分的这个基本功能，确实令人叹为观止。据说，这种共生关系可以追溯到植物从水生转向陆生的漫长历史。

真菌与植物之间的关系，既有激烈的竞争历史，也有悠久的共生历程。

与根瘤菌共生

谈及植物与微生物的共生，人们往往会想到豆科植物与根瘤菌之间的联结。

把豆科植物的根部拔出来观察，你可以看到许多直径数毫米的圆形凸起。这些凸起便是根瘤，而瘤内则栖息着一种被称为“根瘤菌”的微生物。豆科植物通过与这些根瘤菌的共生，成功完成了从空气中获取氮素这一艰巨使命。

氮是构成植物身体的基本物质，也是植物生长不可或缺的要素。通常情况下，植物会从土壤中吸收和利用氮。然而，贫瘠土壤中所含的氮是十分有限的。

与此同时，氮又是地球大气的主要组成部分，约占78%。如果能够有效利用空气中的氮，植物便不再需要为了获取它而苦苦挣扎了。豆科植物通过与根瘤菌的共生，实现了这一理想。根瘤菌能够吸收空气中的氮气，而豆科植物通过让根瘤菌在根部寄居，便成功获取了生长所需的氮元素。

植物为根瘤菌提供了庇护所和养分，而根瘤菌则固定了空气中的氮气，并供给植物使用。这种完美的互惠互利关系，专业上就叫“共生”。

浴血前行

豆科植物与根瘤菌之间的这种共生羁绊，并不容易建立。事实上，这一关系曾陷入过严重困境。

根瘤菌从空气中吸收氮气时，需消耗大量能量。而为了获得这种能量，根瘤菌必须呼吸氧气。然而，氧气对根瘤菌而言，虽然必不可少，却又是个难以逾越的障碍。在有氧环境中，用于固定氮气的酶会失去活性，这使得氧气成了一个棘手的问题。

因此，植物需要确保氧气运输到位，并迅速排除多余的氧气。为解决此难题，豆科植物装备了一种名为“豆血红蛋白”的物质，能高效运输大量氧气。

与此同时，人类血液中的红细胞也含有一种被称为血红蛋白的物质，能将氧气有效输送至体内细胞。豆科植物拥有的这种血红蛋白，与人类的如出一辙。

令人惊叹的是，切开豆科植物的新根瘤，会呈现出淡红色，仿佛在流血一般。这便是豆科植物的“血液”，即豆血红蛋白。为了与根瘤菌共生，豆科植物甚至获得了“血液”，这或许就是不畏浴血、奋勇前行的象征吧。

得益于豆血红蛋白的加持，豆科植物和根瘤菌得以共生。可以说这是一种“歃血为盟”的共生关系。

可这种共生关系的形成过程又是如何的呢？出人意料的是，根瘤菌与豆科植物共生的过程，其实与病原菌感染植物的过程有着惊人的相似性。因此，人们推测根瘤菌与豆科植物最初是敌对关系。

根瘤菌原本是作为病原体试图侵袭豆科植物的根系。当然，豆科植物为了避免感染，必定会进行顽强的反抗。经过激烈的对抗，病原体与植物终于意识到合作胜过对抗。于是，双方建立了这种互惠共生的关系。

豆类与根瘤菌的相遇

豆科植物在成长过程中，最终允许根瘤菌在其根部栖身，可二者到底是如何邂逅的？

根瘤菌依赖着豆科植物根部释放的一种叫类黄酮的物质，来抵达根毛的末端。然后，根瘤菌会向植物释放一种特定物质。这个过程与病原菌对植物产生刺激素的原理完全相同。

通常情况下，植物会感知到这种物质并启动防御系统。然而，豆科植物对根瘤菌的反应却不同寻常。感知到根瘤菌释放的物质后，豆科植物的根部会发生变化，宛如迎接贵客一般，会热情地将根瘤菌包裹其中。根瘤菌在植物的引导下，随后进行细胞分裂，并不断向根部深入。

这时，奇妙的景象发生了。豆科植物的细胞仿佛在欢迎根瘤菌的到来，引领着根瘤菌在根部筑起了一条管状通道。与此同时，根毛的根部也在准备迎接根瘤菌的到来。细胞开始分裂，为根瘤菌的居住构筑出一个完美的栖息地——根瘤。

令人惊讶的是，豆科植物根部的根瘤并非由根瘤菌制造，而是由植物自身为根瘤菌精心准备的。根瘤菌降临后，便会在这些根瘤中繁衍并开始固氮。

一般来说，植物的根毛主要用于吸收水分和养分。但对豆科植物来说，它们的根毛不仅仅是吸收水分和养分的工具，更是迎接根瘤菌的盛大舞台。

面子上的朋友

初看之下，豆科植物和根瘤菌之间的共生似乎十分美妙。然而，事实是，它们的关系远没有表面上看起来那样融洽。

根瘤菌有着一种不可思议的特性。或许你会感到意外，但这些固氮菌其实通常情况下并不固氮。

固氮是一项需要极大能量的壮举，所以根瘤菌更倾向于通过分解腐叶等方式过着相对简单的生活。然而，一旦进入豆科植物的体内，它们就会发生巨大的转变，开始勤勤恳恳地固氮。

那么，这种转变的原因究竟是什么呢？难道是为了回报植物所给予的安全栖息地和丰富的营养吗？

正如前文所述，豆科植物为了迎接根瘤菌，会在根部构建出一条通道。然而，这通道并非一直通向根部的最深处，而是在中间形成了一个封闭的死胡同。

事实上，豆科植物并不会接纳所有的根瘤菌，而是会仔细审视根瘤菌所提供的氮的总量，再据此慎重决定需要接纳的根瘤菌数量。

若所提供的氮已足够充裕，便不再需要接纳新的根瘤菌了。在这种情况下，它们会封闭通道，不再形成新的根瘤。而当氮不足时，它们则会打开通道，引入所需数量的根瘤菌。换言之，进入豆科植物根部的根瘤菌大多数无法深入内部，而是被困在了纤细的根毛中。

然而，情况还不止于此。对于固氮能力较弱的根瘤菌，豆科植物甚至会中断其养分供应。

豆科植物似乎能够操控、引诱进入体内的根瘤菌，并掌控它们的固氮行为，这让人不禁感到背脊发凉。

然而，根瘤菌最初也是作为一种致病细菌来感染植物的。既然它们认为自己已经成功入侵了植物，那也就没什么好抱怨的了。

这就是它们的生存法则，充满了尔虞我诈。尽管表面上看起来相处和谐，但切莫掉以轻心。因为归根结底，它们的共生只是利己主义之间的碰撞——这才是大自然界最真实的较量。

植物缔造共生

病原菌是可怕的存在，但植物也不是束手无策。

就如同内生菌和根瘤菌的相伴共生，植物时常能以巧妙的方法来驯化病原菌，以一种互利共存的方式，共享双赢的果实。于是，植物巧妙地将微生物的功能纳入了自身的生命体系之中。

事实上，“植物”这一存在的诞生，亦源于与微生物的共生。

植物细胞内进行光合作用的细胞器官是叶绿体。

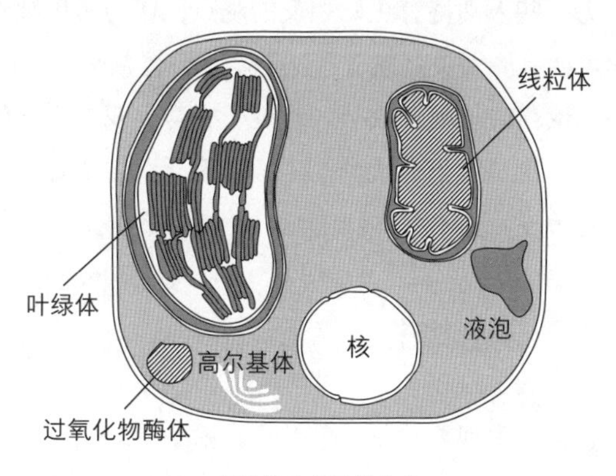

细胞的功能是共生的

这个细胞器非常神奇。一般情况下，DNA驻留在细胞核中，通过核分裂掌管着细胞的繁衍。然而，叶绿体内也有独立于细胞核的DNA，能够自主分裂繁衍，似乎就像一个独立的生命体。

实际上，叶绿体最初被视作一种独立的微生物存在。这种可以进行光合作用的微生物原本是一种细菌，被称为“蓝藻”。然而，单细胞生物将其吞噬后，与之实现了一种奇妙的共生。这便是现今所谓的“细胞共生说”。

后来，成为叶绿体的蓝藻进行光合作用，为细胞提供糖分；作为奖赏，它可以获得细胞的庇护，利用细胞内的蛋白质不断生长繁衍。

但这种共生机制是如何形成的呢?

有些人认为，最开始的时候，是蓝藻试图侵袭细胞。另一些人则持有正好相反的观点，认为是单细胞生物可能试图吞噬蓝藻。

不论当时谁处于攻势、谁处于守势，双方之间的攻防一定都是激烈而残酷的。但最终，双方决定，与其相互争斗，还不如共同生活。

进一步地共生

这种共生现象并非局限于叶绿体。

细胞内的另一个关键角色——线粒体，一个可以进行氧呼吸、制造能量的细胞器官，同样拥有自己的DNA，而且也曾被认为是单独的生物体存在。

线粒体并不只存在于动物细胞中，也存在于植物细胞内。它就像细胞的能量中心，无论是在动物体内，还是植物体内都扮演着不可或缺的角色。

而在共生的时间线上，线粒体比蓝藻（叶绿体）与细胞的融合还要早得多。

据说，进行光合作用的蓝藻首次出现于地球上大约在27亿年前。微生物通过分解有机物来获得能量，而蓝藻却可以利用太阳光、水和二氧化碳来制造营养。因此，蓝藻在地球上迅速繁衍。

光合作用产生了糖分，但也排放出作为副产品的氧气。

而最初，氧气是一种具有毒性的气体，会导致物质氧化。蓝藻释放了有毒的氧气后，改变了地球的大气环境。

随着氧气浓度的上升，一些可以利用有毒的氧气进行有氧呼吸的微生物出现了，它们就是线粒体的前身。

这些线粒体与单细胞生物共生，产生了能够进行有氧呼吸的单细胞生物。随着时间的推移，它们逐渐发展壮大，被认为是现今动植物的祖先。

而这些与线粒体共生的生物中的一部分，后来又与蓝藻共生，并获得了叶绿体。之后，仅具有线粒体的动物和同时拥有线粒体和叶绿体的植物就诞生了。

你的身体是一个生态系统

与真菌和细菌共生，借助它们的援手维持生存，或许有些匪夷所思，然而，人类身体的源头同样根植于共生之中。

我们的细胞内也隐藏着线粒体这种拥有自身DNA的微观存在。我们的身体由60万亿细胞组成。不仅如此，更有一众微生物共同栖息于我们体内，比如大肠杆菌和乳酸杆菌等肠道微生物，就安家于我们的肠道之中，谱写着食物的分解之曲。

据推测，一个人的肠道中平均聚集了300多种微生物，总数高达100万亿。这么多生命存在于我们体内，缺了它们，我们是无法生存的。

此外，人体肌肤上也寄居着无数的皮肤共生菌，如同守护者般，阻挡着病原菌入侵，捍卫我们的肌体。

可以说，我们的身体其实就像一个充满生机的微观生态系统。

Chapter 04 向天敌求救：植物*vs*昆虫

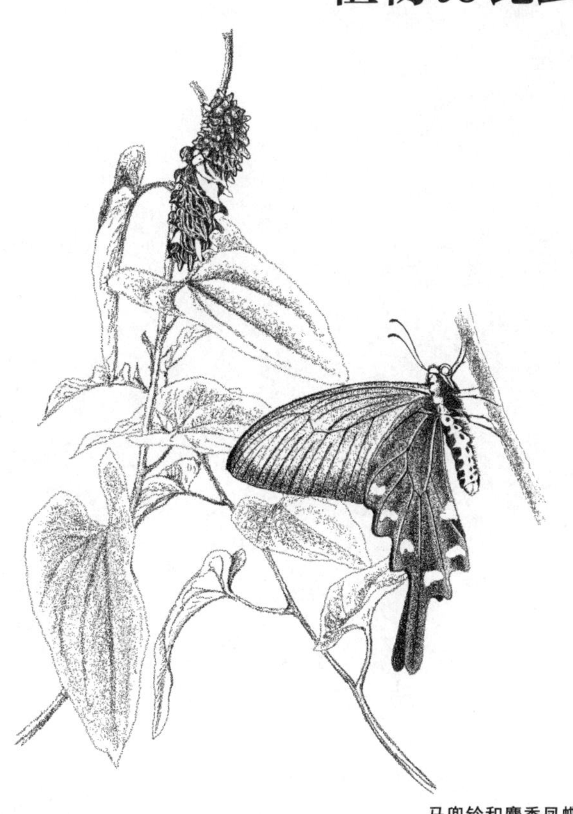

马兜铃和麝香凤蝶

下毒的历史

如前所述，植物与病原菌之间的微观战斗异常激烈。但侵袭植物的敌人远不止病原菌。

在植物眼中，最为可怕的敌人莫过于昆虫。那些咀嚼叶片的毛毛虫便是其中最常见的“害虫”之一。

毛毛虫毫不留情地啃食植物的叶片。与病原菌相比，它们绝对是庞然大物。植物或许可以在微观层面上与微小的病原菌生死搏斗，但要对付体形庞大的毛毛虫，细胞那种自杀式的微观战斗已然无济于事。

回顾人类历史，对于无法在正规战斗中击败强大敌人的人，唯有一种无力之举或许可以反败为胜，那就是下毒。一些权势滔天的大人物莫名其妙地离世，尽管史册上并未留下记录，但毒杀很可能就是其死因。

植物也选择了同样的手段。为了击退强大的害虫，力量微弱的植物首先想到的便是下毒。

植物的化学武器

提及“毒”，或许会让人心生畏惧。

虽然植物中也存在一些有毒物质，但实际上有毒的植物并不多。而且，用“毒”这个词或许有些过了。毕竟，这些化学物质通常是为了击退昆虫而产生的，对人类来说，它们往往相当温和，甚至是无害的。

比如，薄荷等草本植物发出的气味，原本就是用来驱虫的。植物并非刻意发出这类香气来给人提神醒脑。尽管对昆虫而言可能有毒，可对体形庞大的人类而言，薄荷却能轻微地刺激神经，带来放松的效果。

烟草中的尼古丁成分，原本也是为了保护植物免受害虫侵害的物质。尽管摄入过量的尼古丁对人类有害，但适量却同样能产生放松效果。

此外，蔬菜中的苦味、辛味等味道的成分之所以产生，也是为了抵御害虫。例如，菠菜的苦味成分草酸，本质上是一种防御物质。而芥末和洋葱的辛味成分也是植物的化学武器。不过，芥末和洋葱在这些化学武器上进行了一些巧妙的改进。

芥末拥有的化学武器是一种叫“芥子甙”的物质。其实，芥子甙本身并不具有辛味。但细胞受到昆虫的破坏时，细胞内的芥子甙会与细胞外的酶发生化学反应，产生一种叫“烯丙基芥子油”的辛辣物质。芥末被搅碎得越细，辛辣味就越强，因为更多的细胞被破坏了。

蒜素是洋葱的化学武器，当细胞被破坏时，它会在细胞外酶的作用下，产生蒜素，从而产生辛辣成分。人切洋葱时会眼泪汪汪的原因，就是蒜素的挥发。

对植物来说，一直持有对昆虫具有威胁的成分，并非什么愉快的事情。因此，芥末和洋葱之类的植物采取了一种机制，只在受到侵害的瞬间才会产生防御物质，对敌人发起攻击。

在欧洲，为什么很多窗台上摆放着鲜花？

在欧洲旅行时，我们常常会看到古老的街道两旁，有很多窗台上都摆放着盆栽花卉。这些装饰精美的古朴窗台，为欧洲城市增添了一道独特的风景。

在窗台上摆放的花卉中，天竺葵常常占据主角地位。但人们摆放这种植物，并非只是为了美化城市，而是看重了它更为独特的功效。

窗台上的天竺葵

天竺葵散发出的味道，对昆虫来说是很讨厌的。因此，将它们摆放在窗台上，可以防止害虫进入屋内。

不过，天竺葵的芬芳并非只是为了驱赶虫子，还是为了自身的安全着想。

就这样，众多植物竭尽全力创造出各种化学武器，试图击退入侵者。然而，昆虫们并不会轻易屈服。毕竟，如果没有植物可吃，它们将会面临饿死的命运。所以，尽管植物制造出了各种各样的化学武器，但昆虫们依然会克服一切困难，不断挑战着植物的防线。

虫爱春蓼，各有所好

谚语说："虫爱春蓼，各有所好。"

春蓼这种植物带着一股辛辣的气息。然而，即便是这种辛辣的植物，也有着特别钟爱它的虫子。所以，人们就用这句谚语来表示每个人的喜好各不相同。

尽管植物借助各种物质来保护自己，却总有昆虫会伤害它们。此外，许多昆虫都是挑剔的食客，只是对某些植物种类情有独钟。

比如，菜粉蝶的幼虫，也就是青虫，喜欢啃食卷心菜等十字花科植物，但对其他植物毫无兴趣。同样，凤蝶科的某些幼虫只喜欢柑橘科的植物，而金凤蝶则专心追求胡萝卜、欧芹等伞形科的美味。

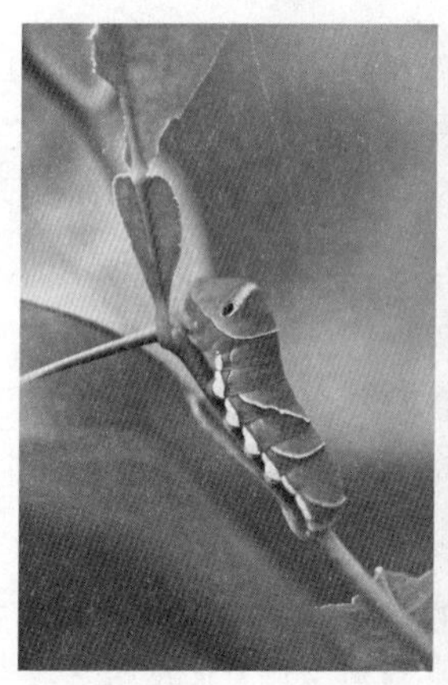
凤蝶幼虫

菜粉蝶幼虫

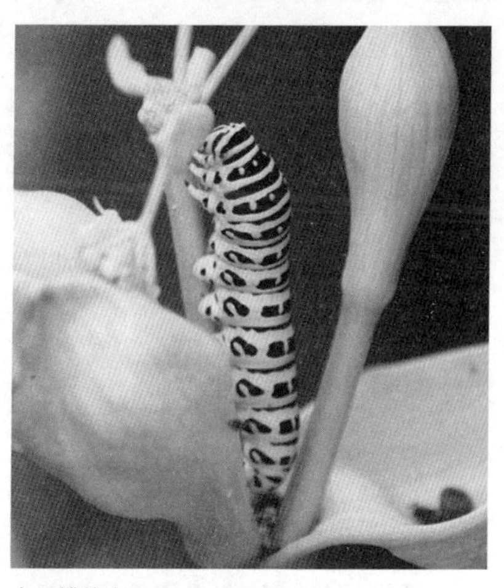
金凤蝶幼虫

这样看来，很多昆虫只吃某些特定的植物。那它们为什么这么挑食呢?

原因在于，所有植物都会产生毒素，以抵挡昆虫的侵袭，而昆虫在进化过程中，也会对这些毒素做出相应调整。

然后，不甘示弱的植物就要制造新的毒素，而昆虫则再次迎难而上。但与其前功尽弃，试图征服新的植物，从头创造突破之法，倒不如继续下点儿功夫享受先前的美味。于是，昆虫便竭力突破植物的防御，而植物也不得不重新设计新的防御机制。

就这样，这种相互磨砺的过程，让某些植物与特定昆虫间形成了激烈的一对一竞争关系。

相比之下，其他昆虫只能望洋兴叹，因为它们无法突破某些植物高度进化的防御系统。只有那些经年累月与植物斗智斗勇的对手，才能在全力应战的过程中，品尝到这些植物的美味。

如此形成的一对一关系，就叫“共同进化”。

利用毒素的坏家伙

然而，这个世界总有一些生物喜欢玩弄心机，竟然能够巧妙地利用植物辛勤制造出的毒素。

马兜铃是一种有毒植物，依靠一种名为马兜铃酸的有毒成分来保护自己。可令人惊讶的是，麝香凤蝶的幼虫竟然就是以这种有毒植物为食的。更为神奇的是，麝香凤蝶的幼虫还能将马兜铃的毒素贮存在体内，让鸟类等捕食者望而却步。

毒素无疑是最佳的自卫武器，但制造毒素却非易事。因此，麝香凤蝶的幼虫才会选择将马兜铃辛勤制造的毒素据为己有。马兜铃为自保努力付出，结果费心制造的毒素最终却被夺走，实在是有些残酷。

在体内积累的毒素的保护下，麝香凤蝶的幼虫安然无恙地继续啃食叶子。对毛毛虫而言，鸟类是天敌。因此，大部分毛毛虫通常都会躲藏在叶子背后进食，或者白天隐匿起来，直到夜幕降临时才悄悄爬出来啃食。但是，受到毒素保护的麝香凤蝶幼虫却无须担心鸟类的袭击，哪怕在光天化日之下也能自在地享用美味的叶子。

此外，普通的毛毛虫通常还会让自身的颜色与叶子颜色保持一致，以此来隐匿身形。而麝香凤蝶的幼虫却以鲜明的黑色和红色斑点，无畏地展示自己的存在，似乎在向鸟类耀武扬威：如果你敢吃我，那就试试看吧。

彻底利用

麝香凤蝶幼虫把从马兜铃那里夺得的毒素运用得可谓淋漓尽致。而且可恨的是，即便是麝香凤蝶的成虫，也依然携带着幼虫时期积累的毒素。因此，麝香凤蝶的成虫同样身披点缀红色斑点的黑色羽翼，仿佛是剧毒的警告信号。

与同类蝴蝶相比，麝香凤蝶在空中飞舞时更为轻盈，翅膀摇曳，舞姿悠扬。这是它刻意彰显自身有毒的另一种方式，为的是吸引鸟类注视，避免与其他蝴蝶一同被误食。

更有甚者，麝香凤蝶在产卵时，还会在卵的表面涂抹毒素，并将其产在马兜铃上。孵化后的幼虫先啃食自己的卵壳，获取毒素，然后持续以有毒的马兜铃为食，不断补充毒素。可以说，麝香凤蝶一生都在充分利用马兜铃中的毒素。

在志怪小说《播州皿屋敷》中，因为被诬陷打碎了一个贵重的盘子，阿菊（麝香凤蝶在故事中的拟人化形象，因此麝香凤蝶也被称为“菊虫”）被残忍杀害，并被扔到了井里。每天晚上，阿菊的幽灵都会现身，充满怨念地数盘子。后来，那口干涸的井中出现了许多可怕的虫子，形似双手被缚在身后的女人，故而被称作“菊虫”。

但是，菊虫并不是因盘子数量不够而哭泣。相反，它们简直可以说是毒性逼人，甚至连“盘子”都能成为其口中之物。真正应该深藏怨恨的，或许不是菊虫，而是被它吃掉的马兜铃。

无效的臭味

鸡屎藤也是一种依赖毒性自卫的植物。之所以被取这个名字，与它散发的恶臭有关。鸡屎藤臭味的来源是一种叫岩藻苷的硫化合物。在分解的过程中，它们会变成挥发性气体，熏人的气味随之弥漫开来。这种气体被称为“硫醇”，是该植物自我保护的手段之一。

尽管鸡屎藤借助难闻的气味来自卫，但仍有各种害虫附着其上，其中一种名字颇长的蚜虫被称为鸡屎藤长须蚜虫，就是寄生的害虫之一。

但令人头疼的是，这种蚜虫不仅对臭味毫不在乎，还会吸食鸡屎藤的汁液。更为不利的是，这种蚜

鸡屎藤

虫会在体内贮存臭味成分，以此自卫。

瓢虫是蚜虫的天敌，然而，即便是它们也不愿意接近这种散发着臭味的蚜虫。鸡屎藤以臭味自卫的策略，完全适得其反了。

为了避免引起天敌的注意，蚜虫通常会与植物保持相同的绿色，然而鸡屎藤上的蚜虫却选择了显眼的粉红色，以此来彰显自己不是那么好吃的，就如同麝香凤蝶幼虫以鲜明的颜色警示鸟类一样。

昆虫是植物的劲敌，由于其世代更替迅速，容易不断进化，因此，即便植物付出辛勤努力积累强有力的毒性成分，最终昆虫也会产生相应对策，突破其防御系统。既然用毒素驱赶昆虫也无法避免昆虫的袭击，那有没有什么更好的解决办法呢？

使用弱毒

植物竭力全面抵御昆虫的进攻时，昆虫也不甘示弱，努力冲破防线，最终导致植物的防御体系溃不成军。更让人沮丧的是，植物不仅白白消耗了精力来制造毒素，反而被逆向利用，着实令人痛心。

那植物应该怎么做才好呢？

与其费尽心思力挽狂澜，倒不如适度容忍被昆虫啃食一些。以假装落败的姿态，来防止损害进一步扩大，不失为更务实的策略。

因此，植物们想出了几种很有创意的方式来对付昆虫，其中之一是促进昆虫的生长。

比如在一种名为“牛膝”的植物中，据说就含有可以促使昆虫脱壳的生长激素。你或许会好奇，促使昆虫脱壳来帮助它们成长，对昆虫而言似乎是件好事啊，那植物为什么要好心给讨厌的害虫提供这样的便利呢?

事实上，这正是牛膝的高明之处。

食用牛膝叶子的毛毛虫在成长过程中会多次脱壳。然而，当摄入促进脱壳的物质后，虫子体内的激素系统会受到干扰，导致它们在身体并未显著增大的情况下频繁脱壳，从而快速成长为成虫。

如此一来，毛虫在叶子上的生长周期就缩短了，牛膝叶子则可避免被大量啃食。面对这些不速之客，这种植物的应对策略是早早地将“礼物”呈上，然后尽早打发它们离开。

如果直接驱赶昆虫，将会引发昆虫的反击。所以选择假装被昆虫啃食，以此尽快摆脱它们，可谓一个极为巧妙的方法。

降低昆虫的食欲

植物为了降低所受的伤害，还会设法消减昆虫的食欲。

比如让柿子和茶叶拥有涩味的单宁酸，就是植物用来实现这一目的的典型物质之一。单宁酸中蕴含多种成分，其中许多与植物中的其他物质（如花青素）结构相似，因而相对容易形成。植物所吸收的养分，无论是靠根部摄取还是光合作用生成，都是有限的，即使欲将这些养分用于抗击昆虫，防御预算也是有限的。因此，无论防御物质的效果多么显著，如果制造时需要大量原料或耗费大量能量的话，都显得不那么划算。所以，许多植物便选择使用易于生产的单宁酸。

单宁酸与蛋白质等物质结合时，会使其凝固。茶杯内壁上呈现出的深褐色茶渍，正是因此而来。

老鹳草

所以单宁酸被昆虫吸收后，可以使其消化酶变性，引发消化不良，进而有效降低昆虫的食欲，防止它们过多啃食植物的叶片。

对人类而言，单宁酸则具有止泻的功效。因为单宁酸与食物中的蛋白质结合时，会产生一种收敛作用，有效地治疗腹泻。

老鹳草长期以来一直被用于治疗腹泻，其中发挥药效的成分正是单宁酸。

昆虫的反击

如前文所述，单宁酸对植物而言是一种经济实惠的防御武器。

然而，昆虫也不甘示弱。从昆虫的角度来看，吃不到植物意味着会饿死。因此，它们绝不能容忍食欲的消退。

于是，昆虫们采取各种对策，试图突破单宁酸的防御。

比如，一种名为箩纹蛾的昆虫就会在消化酶中分泌一种物质，来阻止单宁酸发生作用，继续享受树叶的美味。在箩纹蛾的胃里，一场化学战正在积极进行中，就好像它同时服用了抑制胃液和促进消化的药物。

昆虫确实是棘手的家伙，有些竟然能够巧妙地利用单宁酸来自我保护。那么，对于这些降低食欲的单宁酸，昆虫还可以怎样利用呢？

角倍蚜是寄生在盐肤木上的一种害虫。开春后，当角倍蚜吸食盐肤木叶片的汁液时，受到刺激的植物体会发育异常，形成瘤状结构，将蚜虫囊括其中。这通常被称为“虫瘿”，是一种植物细胞在昆虫刺激下失去正常功能，发生异常生长并增大的瘤包现象，可以理解为植物的“癌细胞”。

虫瘿

虫瘿的形成机理尚不明了。但有一种观点认为，它们可能是由蚜虫有意控制植物细胞形成的，以在植物体内打造自己的栖息地。对蚜虫而言，虫瘿是一个舒适的家园，可以供它们安心繁衍后代。

当然，盐肤木也会有所反击，会通过积累具有保护作用的单宁酸，试图抵御外来入侵者。单宁酸不仅可以减缓昆虫的食欲，还能氧化和固化细胞，使植物不容易被昆虫啃食。水果和蔬菜的切口暴露在空气中时会变成茶褐色，也是单宁酸通过氧化作用来保护切口的结果。

然而，蚜虫已经进化到了可以操控植物细胞并诱发虫瘿的地步。对它们而言，单宁酸已不再构成威胁。此外，蚜虫并非啃食植物组织，而是用吸管一样的嘴从植物体内吸食液体。因此，单宁酸对抑制其食欲的效果并不显著。

渔翁得利的人类

然而，这个故事并未就此终结：盐肤木遭受惨败的时候，人类竟然在"幸灾乐祸"。

单宁酸拥有与蛋白质等多种成分结合，从而固定物质的能力。这种能力对人类而言也非常有用。举例来说，单宁能够稳定色素，所以被广泛用来制作染料和墨水。它还被用来制作护肤品，因为它能够与蛋白质胶原蛋白纤维结合，增强皮肤的强度。

在过去，由于相关的化学合成技术尚不成熟，人类只能直接从植物中提取单宁酸。因此，富含单宁酸的虫瘿给人类带来了巨大的便利。比如，富含单宁酸的盐肤木虫瘿，也就是我们常说的"五倍子"，便深受人们的喜爱。

对昆虫而言，虫瘿是绝佳的栖身之所。除了蚜虫，苍蝇、蜜蜂、蓟马、象鼻虫等也都可以在各种植物上形成虫瘿。

不过，虽然虫瘿让人类受益匪浅，但我们也不要忘记里面残存的大量单宁酸，其实是植物在拼死抵抗的悲惨过程中留下的痕迹。

乔装虫卵，欺骗到底

前文探讨“共同进化”的时候，我们已经提到过昆虫对毒素的反应速度极快。因此，植物仅依靠毒素来自我保护的能力终究有限。那么，植物是否还有其他方式来免受害虫侵害呢?

在昆虫的世界里，许多昆虫会通过拟态为自然物体来保护自己。例如，竹节虫和尺蠖会伪装成树枝，而蝗虫和螳螂则能模仿树叶的颜色。

这些保护方法之所以有效，是因为它们的天敌是鸟类。鸟类哪怕具有很好的视力，也很容易被拟态所欺骗。而昆虫作为植物的天敌，并不像鸟类那样依赖视觉来觅食，因此，植物很难通过拟态来保护自己不受侵害。

当然，这也不是绝对的。有些植物也可以通过拟态来保护自己，比如西番莲。

西番莲

西番莲主要是利用扁桃苷和生物碱等有毒成分来自我保护。但一种名为“毒蝶”的蝴蝶幼虫却仍然能够吃西番莲的有毒叶子。此外，和麝香凤蝶、鸡屎藤长须蚜虫一样，毒蝶的幼虫还会利用从西番莲那里获取的毒素来抵御天敌，保护自己。

那么，西番莲该如何应对毒蝶呢？它们想出了一条妙计：在一些叶片上或叶片根部形成黄色的凸起，模拟毒蝶产下的卵。

毒蝶会避免在已经有卵的地方产卵，因为如果在同一地方产下太多卵，幼虫将会争夺食物。因此，西番莲通过伪装身上已经有卵的方式，成功阻止了毒蝶产卵。

然而，遗憾的是，利用拟态的方式来保护自己并不能对抗所有昆虫。

毒蝶具有较大的复眼，属于蝴蝶中视力较好的一种。西番莲正是利用了毒蝶敏锐的视力来欺骗它，但这种方法对于视力较差的昆虫并不起作用。

向天敌求救

如果植物一直使用同一种毒素，害虫会慢慢发展出对策；如果一直增加毒性，辛勤制造的毒素则可能会被麝香凤蝶这类害虫反向利用，被拿去当成自卫的武器。

一旦出现这种情况，植物就难以正常生长了。

仔细想想，麝香凤蝶之所以选择不去解毒而是利用毒素，其实是因为它们害怕天敌。或许对植物而言，比起自己驱赶害虫，借助令害虫畏惧的天敌的力量是个更为明智的办法。

众所周知，植物的叶子被害虫啃食时，会释放出挥发性物质，比如萜烯就是此类对抗害虫的物质之一。只不过，以植物为食的害虫往往并不会因为这些物质就退缩。可植物依然不断地释放着挥发性物质，就如同在发出求救信号。

周围的植物感受到了这种挥发性物质，虽然无法移动，只能袖手旁观，但捕捉到挥发物的信号后，它们会慌忙产生防御物质来自保。

毕竟，有什么能比自身的安危更重要呢？这或许听起来有些无情，但在面临危险时，每个生命都得优先考虑自己。

英雄登场

“救命……”

无论植物如何呼救，昆虫依然大快朵颐。周遭的植物自顾不暇，无力伸出援手。但就在植物感到自己命悬一线之际，一位英雄应声而来了。

研究发现，卷心菜和玉米散发出的气味能够引来寄生蜂。

寄生蜂是毛毛虫的天敌，一旦嗅到植物的挥发物质，便宛如被求救声召唤的勇士，奋勇赶来。

寄生蜂让毛毛虫胆战心惊，因为它们可以把卵产在毛毛虫体内，使之在孵化之后直接吃掉毛毛虫。

它们正是植物期盼已久的英雄。因此，植物释放出的挥发物质，就成了一种吸引昆虫天敌的机制。

当然，寄生蜂赶来并不是为了帮助植物。站在寄生蜂的角度来看，毛毛虫只是用来自己产卵的猎物。

但在毫无线索的情况下找到毛毛虫并非易事，总不能到处瞎找。所以，依靠植物散发的挥发物质，寄生蜂可以有效地得知猎物的存在。

自然界并非一片互惠互利的乐土，每个生物都是为了自身的利益而活。但无论采用何种手段，如果能建立互惠互利的关系，那对双方来说都是最理想的情况。

寄生蜂或许并非刻意要帮助植物，但最终的结果是，在植物发出求救信号后，正义之士前来消灭了害虫。对植物而言，这已经足够了。

雇用“保镖”的植物

像召唤寄生蜂这样借助昆虫来打击害虫，是植物保护自己的有效方法。于是，一些植物便选择了“雇用”强大的昆虫来当保镖。

而这种“强大的昆虫”，就是蚂蚁。

是不是很惊讶？蚂蚁居然被认为是昆虫世界中最为强大的存在。

看起来要比蚂蚁更强大的昆虫有很多，比如独角仙和胡蜂，那蚂蚁为什么还会被认为是最强大的呢？

这是因为蚂蚁能够组成庞大的群体，协同发动攻击，就连独角仙也不是它们的对手。

许多蜜蜂选择将巢穴倒挂在树枝上，据说就是因为害怕受到蚂蚁的攻击。蜜蜂对蚂蚁心存很大的畏惧，甚至会在巢穴底部涂抹驱蚁剂。

所以，如果能请这些蚂蚁当保镖，植物就能够保护自己免受其他昆虫的侵害。那么，如何才能收服蚂蚁呢?

植物产生的蜜通常是花蜜，但一些植物在叶子根部和其他非开花部位有蜜腺，称为“花外蜜腺”。这些植物就是利用其中产生的蜜水作为酬劳，来雇用蚂蚁的。如果我们仔细观察蚕豆、野豌豆、樱桃树、野梧桐、虎杖、红薯等熟悉的植物，就会发现它们的叶根等部位都有吸引蚂蚁的蜜腺。

当然，从蚂蚁的角度来看，它们并没有保护植物的义务。但由于对花蜜的渴望，蚂蚁会驱赶接近花外蜜腺的其他昆虫。通过这样的方式，它们不自觉地保护了植物免受害虫的侵袭。

包吃包住式雇用

为了招揽蚂蚁，有些植物甚至会提供更加慷慨的条件，不仅提供食物，还提供住房，供蚂蚁家族居住。

这些植物被称为“蚂蚁植物”。它们不但会在枝条上为蚂蚁开辟生活空间，还会为其提供非常丰富的食物，如花蜜、蛋白质和脂肪等营养成分。

因此，蚂蚁只需住进这些植物里，便可衣食无忧了。作为回报，蚂蚁则会保护植物免受昆虫的侵扰。

遗憾的是，在日本这种冬季寒冷的地区，蚂蚁不可能都在树上过冬，而是必须得去地下筑巢。因此，日本似乎没有为蚂蚁全年提供庇护所的植物。但在热带地区，蚂蚁不需要担心过冬的问题，所以许多不同科的植物，如胡椒科、蓼科、荨麻科、豆科、泽漆科、西番莲菊科、萝藦科、茜草科和棕榈科等，都进化出了类似的共生系统。

蚂蚁因为得到了关照、雇用，甚至得到了它们渴望的家园而感到欣慰。每当植物受到威胁时，蚂蚁就会发起勇猛的攻击，堪称可靠的保镖。

此外，据说蚂蚁还能咬掉植物周围长出的其他植物的嫩芽或叶子，除去缠绕在树干上的藤蔓，从而让植物更好地晒到阳光。对植物来说，它们确实是得力的助手。

当然，如前所述，蚂蚁的辛勤工作并非为了帮助植物。对蚂蚁来说，这些植物就是栖息地，它们只是在打扫自己的居所。

害虫的反击

如果植物得到蚂蚁的保护，害虫就无法轻易接近植物。

但害虫也不甘示弱，因为它们需要吃东西，不然无法生存。那么，它们可以采取什么样的应对策略呢？

蚂蚁被认为是昆虫界最强大的成员。如果事实也确实如此，那么害虫就别无选择了，只能想办法将蚂蚁转化为盟友。毕竟，它们只是被雇用来采蜜的保镖。只要报酬丰厚，甚至让蚂蚁改变立场也不是不可能。

蚜虫是一种弱小的害虫，没有自己的武器，但成功收买了蚂蚁。蚜虫从臀部分泌的蜜比植物分泌的花蜜更有吸引力。蚂蚁被这种甜美的蜜所吸引，成了蚜虫的保镖，不但不驱赶蚜虫，反而还帮助它们驱赶天敌。

在蚂蚁的庇护下，蚜虫悠闲地享受着植物的汁液，这一定让植物们非常沮丧。本该保护自己的蚂蚁，现在却在保护啃食它们的蚜虫。

对害虫而言，拉拢蚂蚁来做盟友是一个非常有效的手段。除了蚜虫，许多其他害虫，如粉虱、介壳虫和角蝉，也会通过分泌甜美的蜜，来吸引蚂蚁成为盟友。

敌人也可以利用

“只要对我来说有利就行。”这是自然界的通识。

但如果都只为自己着想，那么双方的利益一旦发生冲突，对双方来说都不利。相比之下，如果能像植物与寄生蜂之间的关系那样，除了自己得到好处，也能让对方从中获益，不是更好吗？

于是，植物就反过来利用“被吃”这一命运，找到了通过被昆虫吃掉而获得成功的道路。

那么，“利用被吃”是什么意思呢？

很久以前，植物开花后，只能靠风授粉。但让随性的风来帮助花粉的方法效率很低。在风力作用下，花粉不知道会被带到哪里。因此，风媒花要想授粉成功，就必须产生大量花粉。

后来，以花粉为食的昆虫出现了。它们食用花粉时，会在不知不觉中把一些花粉沾到身上，然后从一朵花飞到另一朵花上，顺便就帮助花朵实现了传粉的需求。

于是，植物开始让昆虫来帮忙传递花粉。相较于依赖风力传播花粉的方式，让昆虫在花与花之间飞来飞去传粉的方法，更为可靠，也更加有效。

当然，昆虫并不是要有意携带花粉，它们只是在到处觅食而已。但植物此后就不再需要生产不必要的花粉了，因为即便算上被昆虫吃掉的部分，它们需要生产的花粉也比以风为媒时的要少很多。

有了减少花粉产量而省下的成本，植物得以用美丽的花瓣来装饰花朵，吸引昆虫，并准备花蜜作为诱人的食物。

昆虫起初是以花粉为食的害虫，是植物的敌人，最终却被植物巧妙地利用了起来。据研究，最早把花粉从一朵花带到另一朵花的是金龟子类的昆虫。然而，随着与花朵之间关系的发展，昆虫们进化出了蜜蜂那样从一朵花飞到另一朵花的能力，而花朵也进化出了美丽的色彩和复杂的形状。

互相欺骗会有好处吗?

花朵向昆虫供应花蜜，作为交换，昆虫则帮助花朵传递花粉，这种共生关系实在美好。但自然界如同残酷的现实世界，其中并不存在互相帮助的道德要求，更谈不上真挚的互助关系。

因此，一些植物试图欺骗昆虫，让它们为自己运送花粉。昆虫受花香吸引而来，因为花香告诉了昆虫那里有花蜜之类的美食。

然而，也有一些植物只分泌气味，而不产花蜜。比如，芋科的细齿南星和天南星香气四溢，就会让苍蝇帮助自己运送花粉。

这些植物拥有雄雌两种株型，雌株的作用就是把携带花粉的苍蝇引诱到花中，使之无法脱身。被困的苍蝇会疯狂挣扎，从而实现授粉。这种残酷的待遇与共生关系相去甚远。

此外，铁锤兰的花与雌蜂长得几乎一模一样，可以假冒雌蜂，引诱欲交配的雄蜂前来，在不提供花蜜或花粉的情况下成功实现授粉。

然而，昆虫并没有为植物运送花粉的义务。蝴蝶在进化过程中就摆脱了这一点，用细长的腿停在花瓣

铁锤兰（摄影：齐藤龟三）

天南星

上，再用长吸管般的口器吸食花蜜，这样就不会把花粉沾在身上了。尽管人类喜欢美丽的蝴蝶，但对植物而言，蝴蝶是花蜜的窃贼，背叛了植物与昆虫之间的共生关系。

当然，既没有签订合约，也不存在什么道德义务。在大自然中，可谓无奇不有。

不过，在如此不仁义的自然世界中，欺骗昆虫来传递花粉并不是主流方法。尽管所有生物的行为本质上都是自私的，但许多植物和昆虫仍会相互帮助、共生共存，这一现象令人深思。

归根结底，欺骗对方或许能获得短期利益，但从长远来看，真诚地相互帮助才对双方都有益。

Chapter 05 苹果的创意：植物 *vs* 动物

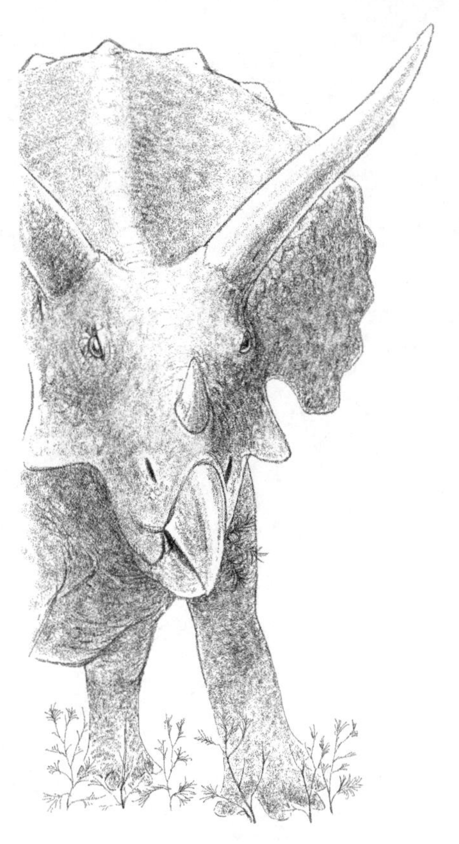

三角龙

庞然大物的登场

植物要与环境这个看不见的敌人战斗，与作为竞争对手的其他植物战斗，与病原菌的微观战斗，还有与昆虫这种强大的敌人战斗。可以说，植物早已身经百战。

但它们的战斗是永无止境的。就像在游戏中，越往后就会出现越厉害的大Boss一样，植物也最终迎来了庞大的敌人：动物。

虽说是“战斗”，但植物与动物之间，一直以来都是植物被动物吃掉的关系。恐龙时代当然也是如此，植物总是那个被吃的对象。恐龙分为两种：一种是以植物为食的食草恐龙，另一种是以食草恐龙为食的食肉恐龙。

所以从远古时期开始，植物就是被吃的命。

防止被恐龙吃掉

为了避免被恐龙吃掉，植物采取了何种对策呢?

它们选择了增大自己的体形。毕竟，恐龙们个个都是庞然大物。为了与这些巨兽抗衡，植物也选择了变得更加高大。

在关于恐龙的电影中，我们经常能看到那些动辄可以长到数十米高的巨型植物。毕竟，长成“参天大树”，就不容易被恐龙吃掉了。因此，植物争相向巨型化方向发展。

当然，恐龙也不甘示弱。在恐龙群体中，有一些食草性的大型恐龙，如雷龙和腕龙，脖子就变得越来越长了。为了能够吃到树梢上的嫩叶，恐龙们也在不断进化。

一旦出现了脖子很长的恐龙，植物也会进一步增大自己的体形。随着植物的巨型化，食草恐龙的脖子又变得更长。就这样，植物和恐龙共同经历了一场竞相巨型化的过程。在那个时代，拥有巨型身躯成了胜出的关键。

当然，这也有赖于当时的气候条件。在恐龙兴盛的时代，气温很高，光合作用所需的二氧化碳浓度也相当高，使得植物可以茁壮成长，拥有巨人一般的身形。

恐龙时代的终结

恐龙灭绝的原因尚有争论，一般认为可能与小行星撞击地球、卷起的尘埃导致地球环境变冷有关。但在有关恐龙灭绝的几种解释中，也有认为是其他原因导致了恐龙走向灭绝。

其中一个原因就是植物的进化。在恐龙兴盛的中生代，即侏罗纪后期到白垩纪，植物也经历了巨大的演变。侏罗纪时期，大型的针叶树生长十分茂盛，但到了白垩纪时期，可以开花和结果的被子植物开始繁盛起来。

被子植物的进化过程尚不为人所了解，充满了谜团。但有观点认为，被子植物可能是在气候环境从温暖、稳定转变为寒冷的过程中产生的。此外，人们还认为被子植物完成了从大型木本植物到小型草本植物的进化。

大型的针叶树需要很长时间才能形成庞大的树干，而草本被子植物却可以迅速生长、开花，而且在昆虫的帮助下，授粉效率也变得高效可靠，因而能够在短时间内完成进化。

在同蕨类植物等裸子植物的竞争中身形越来越庞大的食草恐龙，显然无法跟上这种进化速度。比如，有人就认为，恐龙体内没有能够消化被子植物的酶，所以吃下此类植物后会消化不良。

实际上，随着被子植物的不断进化，它们的分布范围也越来越广，而裸子植物的分布范围则相应缩小，致使恐龙逐渐失去了栖息地。灭绝之前的恐龙和走投无路的裸子植物经常在同一地点被发现，原因正在于此。

食草恐龙

当然，恐龙并非完全没有进化。

有些恐龙就进化到了可以食用被子植物。比如，深受小朋友喜爱的三角龙，就是最终进化成为能以开花的被子植物为食的恐龙之一。

以前的食草恐龙为了与裸子植物竞争，不断增大体形，使脖子变长，以便能够吃到高处的树叶。但三角龙却不一样，不但四肢很短，身材矮小，头也是朝下长的，显然更适合吃那些贴近地面生长的花草。

三角龙进食时可能看起来像是正在吃草的牛或犀牛。这种情况叫作趋同进化，意思就是虽然物种不同，但出于对功能性的一致追求，物种逐渐呈现出了相似的形态。例如，鱼类中的金枪鱼和哺乳动物海豚都有着相似的流线型身体，而哺乳动物鼹鼠和昆虫中的蝼蛄也有着相似的外形，更方便它们在地下生活。这些都属于趋同进化。三角龙与牛、犀牛之间的相似性，也可以说是趋同进化的一个例子。

然而，被子植物的进化速度肯定超过了恐龙，即使是三角龙也很难跟上植物进化的步伐。

有毒植物杀死了恐龙

关于恐龙灭绝的原因，有一种假说被称为“生物碱中毒说”。

该观点认为，被子植物在演化的过程中，为了挣脱被猎食的命运，获得了一种名为“生物碱”的毒性成分，致使食用它们的恐龙最终中毒身亡。

在如今仍被誉为“活化石”的原始被子植物中，许多都是有毒的。被子植物获取毒素的确切原因尚不得而知，但人们普遍认为，被子植物的毒素至少对恐龙造成了巨大威胁。

哺乳动物（例如人类）可以通过“苦味”来识别有毒物质并远离它们，但爬行动物对毒性的反应则较为迟钝。恐龙可能无法识别有毒植物，以致最终过量摄入了毒素。比如，在恐龙时代晚期的化石中，人们就发现了一些严重的生理异常，包括器官异常增大、蛋壳变薄等疑似中毒的表现。在著名科幻电影《侏罗纪公园》中，有一幕正是三角龙因食用有毒植物而中毒倒地。

在加拿大阿尔伯塔省的德拉姆海勒地区，人们发现了大量恐龙时代晚期的化石。在7500万年前的地层中，存在包括三角龙在内的8种角龙，可在6500万年前的地层中，角龙就已经只剩下1种了。而与此同时，哺乳动物的化石种类在此期间则从10种增加到了20种。

的确，恐龙灭绝的直接诱因可能是小行星的撞击，但植物的演化也可能引发了恐龙逐渐衰败的过程。

新敌人登场

就这样，随着恐龙的灭绝，植物与恐龙的战斗结束了，哺乳动物成了它们的新敌人。不过，植物再也不能依赖巨大的身躯来和敌人斗争了，因为地球的气候已经发生了翻天覆地的变化。

由于造山运动，大陆不断隆起，大气中的二氧化碳随着岩石的风化被逐渐吸收，浓度急剧下降，植物再也无法生长到恐龙时代的大小了。

那么，植物又该如何保护自己免受哺乳动物的捕食呢？一种行之有效的对策是拥有毒素。使用毒素对付昆虫或许并不是很有效，但要对付哺乳动物却显得极为高效。

昆虫繁衍迅速，所以即使植物体内充满毒素，也仍有一些昆虫能够适应。不怕毒素的昆虫通过迅速繁殖，让植物精心准备好的毒素失去了效用。相比之下，哺乳动物的繁殖速度则相对较慢，后代数量也较少，致使世代更替相对缓慢，很难出现对毒素免疫的个体。

势均力敌

不过，哺乳动物怎么可能坐以待毙？它们最终进化出了“侦毒”的能力。

比如，人类尝到可能有毒的东西时，舌头就会警觉地将其识别为苦味或辛辣味。于是，我们就会吐出这些可能对身体有害的东西。人类的味觉并非仅仅是为了品味食物而进化出来的，对人类而言，有营养和安全的食物呈现出甜味，而危险的食物则呈现苦味，这种区别是为了保护生命远离危险而形成的。

不过，哺乳动物进化出味觉，对植物来说也是件好事。

如果植物费尽心机制造了毒素，却终究被巨大的哺乳动物无视，一直吃到中毒死掉，那结果会是怎样呢？即便作为敌方的哺乳动物最终死了，可在那之前，相当数量的叶子也会被消耗殆尽。

对植物而言，它们并非想要置对手于死地。相反，更理想的结局是，哺乳动物刚吃到嘴里，就能够辨别出某个东西不能吃，然后作罢。

或许，随着哺乳动物进化出将毒素识别为苦味的能力，植物也与哺乳动物一道发生了进化，制造出一种易于被哺乳动物察觉出的苦味物质。

食草动物抗毒能力的进化

据说，猫狗若食用大量巧克力可能中毒而亡，原因在于巧克力中的可可碱对它们而言是一种有毒成分。

人类也能尝出可可碱，但觉得它苦味适中、味道可口。虽然可可碱是有毒物质，但人类却能够通过代谢使之变得无毒。同理，大葱和洋葱是人类常食用的蔬菜，但对猫狗而言也是有毒的植物。

人类作为植食性动物，在一定程度上发展出了对抗植物毒素的能力。相较之下，猫狗生来就是食肉动物，在野外环境中往往不会食用植物，所以缺乏对植物毒素感知和防御的系统，对植物毒素几乎没有免疫能力。对狗和猫来说有毒的巧克力，人类却吃得津津有味，说明人类进化出了相应的防御能力。

与此同时，据说人类常用的麻醉药品阿托品对兔子无效。阿托品是一种存在于茄科植物中的生物碱。作为食草动物，兔子对植物具有一定的防御能力，甚至能分解这些生物碱。在食物充足的环境中，兔子可以不去食用有毒植物，但在食物有限的情况下，即使植物有毒，也不得不吃，因此便进化出了分解生物碱的能力。此外，兔子作为一种较弱的动物，以有毒植物为食也有好处，可以让它们不必与体形较大的食草动物争夺食物。

考拉以桉树叶为食

众所周知，澳大利亚的考拉以桉树叶为食。桉树同样是一种有毒的植物，考拉只吃桉树叶，意味着它们专以有毒植物为食。考拉的盲肠约有两米，是所有哺乳动物中最长的，而其盲肠内的细菌能够分解桉树的毒素。

由此可见，哺乳动物对植物所含的毒素并非束手无策。

为什么有毒植物不多？

植物采取制造毒素这个计策来应对哺乳动物，可以说是相当见成效。那为什么不是所有植物都有毒呢？

正如前文所述，植物拥有包括抗菌物质在内的一系列物质，来抵御病原菌和害虫。其中许多物质都是由碳水化合物生成的，而碳水化合物只需要通过光合作用就可以产生，所以植物可以在生长期间根据需要产生所需的数量。

另一方面，生物碱确实是以氮化合物为原料。氮是植物必须从根部才能吸收的珍贵资源，对于植物的生长至关重要，所以植物要是制造生物碱等有毒成分，就势必要削减用于生长和结籽的氮量。

可植物不仅要与哺乳动物搏斗，还必须与其他植物争夺生存资源，如果生长速度减缓或种子减少，那它们的生存就将遭到致命的威胁。此外，在其他植物丛生、竞争激烈的生长环境里，它们被哺乳动物摄食的可能性并不高。即便会被吃掉一些，但把制造毒素所需的能量用在伸展树枝和叶片上，或许是更为明智的选择。

以刺防身

植物的防御手段还包括物理武器，其中最为典型的是刺。

植物通过使前端变得尖锐，可以有效地防止动物取食。这听起来或许简单，但如此朴素的自卫手段，却常常展现出强大的防御效果。在广袤的草原和宁静的牧场上，我们就时常能看到那种逃过了食草动物嘴巴的带刺植物。

植物会采用各种巧妙的方式来打造它们的刺。比如，玫瑰、楤木、山椒等是通过改变表皮的形态而形成了刺；皂荚的刺则是由针状的枝条形成的；枸橘的茎上也有尖刺，但并非来自茎本身，而是由茎上的叶子变细后进化而成的。

还有前面提过的仙人掌，也是针状叶植物的杰出代表，通过将叶子演变成尖锐的针状，既能有效减少水分的蒸发，又能保护自身免受动物啃食。

驱鬼的尖刺之谜

在立春的前夜，日本人会将烤好的沙丁鱼头穿在

柊树

柊树枝上，挂在门前做装饰，因为传统认为柊树叶的尖刺和沙丁鱼的臭味有驱鬼辟邪的作用。

柊树的叶子四季常青，即使在冬天也保持着翠绿的颜色。在寒冬中还充满生机的常绿植物，会被人们当作特殊的存在。例如，松树、竹子就一直被视为瑞兆，杉树和杨桐也在祭祀场所广泛种植。

柊树叶上满是尖刺，被认为有辟除邪灵的作用。但实际情况是，在食物匮乏的冬季，依然翠绿的叶子使柊树更容易成为动物觊觎的目标，所以才会进化出尖刺，用来保护自己。不过，柊树只有在幼年时期叶片上才有刺，一旦柊树成熟，尖刺将自行脱落，叶片也会变得更为丰满而圆润。

老树之所以会失去刺，是因为尽管带刺的叶子可以防范动物，但叶片的面积却会因此受到一定限制。冬日的阳光稀缺而宝贵，柊树需要将叶片展开，来尽可能获取光照。柊树在幼年时需要用刺来护卫叶片，但随着树龄的增长，就不再那么惧怕动物了，所以多余的刺便会脱落，以便让叶片变大，获得更多的光照。

令人痛痒难耐的植物

在多刺植物中，生长在山里的荨麻具有的防御系统可以说最为精密。

荨麻的茎叶上长满了刺毛，但它可不只有这一样

荨麻

武器：刺毛的根部还有一个小口袋，里面装满了毒素。当荨麻的刺毛接触到动物的皮肤时，刺尖就会破裂，犹如注射针一般，将毒素注入伤口中。

许多植物要么是通过化学物质来保护自身，要么是通过刺等物理手段来做到这一点，可像荨麻这样将两者巧妙结合在一起，同时拥有刺和毒素两重保护，就比较少见了。

荨麻在刺伤动物皮肤的同时还能注射毒液，是一种相当复杂的机制，与黄蜂的毒刺和蝮蛇的毒牙颇为相似。可以说，作为植物的荨麻，有着生物界最为高级的防御体系。

动物或许能够吃下其他植物，但难以逾越荨麻的重重防线。当然，荨麻的刺毛也能伤到人，皮肤一旦触及便会红肿、痛痒难耐。实际上，常见的过敏性疾病"荨麻疹"正是因其而得名。

草原植物的进化

对植物而言，有一个地方常常令它们面临被哺乳动物全部吃掉的危险，那便是草原。

在草木丛生的深山老林里，植物不太可能被吃光。但在视野开阔的草原上，植物就无处可藏了。此外，草原上生长的植被数量有限。为了谋得一餐，食草动物需要争相竞逐为数不多的植物资源。

对草原上的植物来说，它们最重要的竞争不是来自其他植物，而是如何保护自己不被食草动物赶尽杀绝。

那么，这些植物又是如何自我保护的呢？在可被食用的植物中，禾本科植物进化得最为优秀。水稻、小麦、玉米等禾本科作物是人类的主要粮食来源，但人类食用的是它们的种子部分，叶子并不能被用于烹饪，因为禾本科植物的叶子坚硬无比，根本无法食用。

而禾本科植物这么做，正是为了自我保护，避免被食草动物吃掉。此类植物的叶片富含纤维质，很难被消化。此外，为了让叶子难吃，它们还利用了硅，使得叶片变得更加坚硬。硅是一种用于制造玻璃的物质。想必有人在野外被芒草叶片划伤过手指吧，其实芒草的叶缘就布满了锯齿形的硅。通过这种方式，禾本科植物可以有效保护叶片不被啃食。

此外，它们还会将制造的养分转移到安全的地表或地下储存起来，而地面上的叶子则会把蛋白质含量尽量减少，降低营养价值，成为不具吸引力的食物。就这样，禾本科植物进化出了不适宜作为动物食物的特性，叶片不但坚硬、难以消化，且营养成分相当低。

据推测，禾本科植物约600万年前就开始在体内积累硅。这种变化对植物与动物之间的斗争来说是一场巨大的改变。禾本科植物的这种进化，导致了大量食草动物的灭绝。

食草动物的反击

可在草原上，如果不吃叶子坚硬的禾本科植物，那就等于无法生存，所以牛、马等食草动物为此进化出了特别的胃。

众所周知，牛有四个胃，可以消化富含纤维、缺乏营养的叶子。四个胃中只有最后一个的功能与人的胃相似。那么，牛的其他三个胃有什么作用呢?

第一个胃容量很大，可以储存吃下的草。然后，微生物在这里发挥作用，将草分解并产生养分。可以说，这个胃是一个发酵罐，就像发酵大豆来制作营养丰富的味噌和纳豆，或者发酵大米来酿造清酒一样，这个胃会制造出发酵的食物。

第二个胃负责将食物推回食道，进行反刍。反刍是指将消化后的食物从胃中带回口腔并咀嚼的行为。牛吃完食物后，就会躺下来，嘴不停嚼动着，让食物在胃和口腔之间来回传递，进而消化禾本科植物。

第三个胃被认为是用来调节食物量的，可以将食物送回第一个和第二个胃，或者送到第四个胃。

第四个胃最后负责分泌胃液，消化食物。换句话说，在第四个胃（真正的胃）之前，前三个已经对叶子完成了预处理，使叶子软化，并利用微生物发酵创造了营养物质。

除了牛之外，山羊、绵羊、鹿、长颈鹿也是反刍动物，都需要借此来消化植物。

马虽然只有一个胃，但有发达的盲肠，其中的微生物可以分解植物中的纤维成分。通过这种方式，马就制造出了可供身体吸收的营养物质。此外，兔子也有发达的盲肠。

禾本科植物的防御策略

就这样，食草动物成功将禾本科植物变成了能吃的食物。

然而，禾本科植物也不会放任自己被尽情啃食，所以必须进化出能够抵御食草动物侵蚀的系统。

人在保护自己时，惯用的方法是保持低姿态。比如，在柔道和相扑运动中，选手们会弯下腰、放低重心，以避免被对手摔倒。在排球运动中，选手接球时也要弯腰。在战场上交火时，士兵则会匍匐在地。不管面对的是什么，保持低姿态都是保护自己的基础。

因此，禾本科植物也选择了低姿态来进行自我保护。

一般来说，植物的生长点位于茎尖，一边形成新的细胞，一边向上生长。但这存在一定风险，因为茎尖如果被吃掉，那就意味着生长点也被吃掉了。

于是，禾本科植物选择了尽可能降低生长点，使之位于最低处的根部，从那里开始生长，由下往上把叶子不断推向高处。这是一种“本末倒置”的植物生长方式。

这样一来，无论被吃掉多少，动物都只会吃掉植物的叶尖，生长点却不会受损。这种将生长点下移的巧思，保护了禾本科植物免受食草动物的伤害。真是一个绝妙的主意！

当然，这种方法也有一个问题，那就是如果让生长点不断向上推进，植物可以自由地增加枝叶的数量，使叶子更为茂密，但如果采用由下往上推的方法，就不可能再增加叶子的数量了。

于是，禾本科植物又想出了不断增加生长点的主意。这就是“分蘖”。禾本科植物通过陆续增加地面的生长点，实现了叶子数量的增加。这就是禾本科植物的生长过程。通过这种方式，禾本科植物长出了分株。

利用困难的禾本科植物

植物这种生物真可谓异常顽强。禾本科植物不仅能够抵御食草动物的啃食，甚至还能利用它们。

被食草动物吃掉是一种威胁，但植物若能在这样严酷的环境中存活，就相当于食草动物帮它们清除了其他的竞争对手植物。如果能利用让植物恐惧的食草动物来驱赶竞争对手，对植物来说是非常有利的。

禾本科植物通过将生长点下移，学会了如何保护自己免受食草动物的伤害。因此，草原就成为禾本科植物的天下。

高尔夫球场和公园的草坪总是被修剪得整齐划一。虽然短期内的修剪似乎对草坪有所损害，但随着修剪次数的增加，那些不耐修剪的杂草会逐渐减少，而禾本科植物的草坪则会逐渐扩张。

除了日本的野结缕草外，还有许多其他禾本科的杂草被用作草坪种植，如六月禾和百慕大草。禾本科植物在修剪后会更加茁壮成长。此外，经常被收割的牧草也主要是禾本科植物。

由于被吃掉叶子，禾本科植物的株根部会暴露在阳光下，促进了它们的良好生长。可以说，正是通过被食用或修剪，它们才获得了成功。

通过被吃而收获成功

植物想出了惊人的策略，巧妙地利用了被吃这一点。所以，植物并非只能束手待毙，被动地成为食物。然而，要解释这种策略，我们还得回到之前有关植物进化的讨论上，把故事拉回恐龙时代。

就像本章一开始介绍的那样，被子植物诞生在恐龙濒临灭绝的白垩纪末期，为植物界带来了戏剧性的变化。

被子植物出现之前，裸子植物占据了地球的广袤土地，但即便被认为是很古老，裸子植物其实也有过被称为新面孔的时期。

相较于裸子植物，蕨类植物统治地球的年代更为久远。但这种古老的植物有一个致命的弱点，那就是繁殖必须依赖水。

蕨类植物的孢子萌发后，会形成一个微小的植物体，称为“前叶体”。不久之后，前叶体产生精子和卵子，精子在水中游动，寻找卵细胞进行受精。这种精子游向卵细胞的方式，是生命诞生于海洋的残留印记。

即便是自诩进化巅峰的人类，其受精过程同样依赖精子游动与卵子受精。生物在进化过程中所面临的挑战之一，就是如何在陆地上模拟海洋环境，这也是生命的起源。

移居陆地的蕨类植物只能在潮湿的环境中生长，因为它们的精子需要在水中游动。所以，原本繁茂的蕨类植物被局限在了水域周围，无法扩展到更广阔的土地上。

裸子植物的登场

相比之下，裸子植物发展出了一种开创性的生殖系统，使其能够适应陆地生长环境。让我们以代表性的裸子植物——松树为例来具体说明。

松树在春季长出新的松球，这就是它的花朵。裸子植物传播花粉不是通过昆虫，而是依赖风。松球上的鳞片张开时，花粉会进入其中。随后，松球闭合，直到翌年秋季才会再次张开。在松球内，经过漫长的时间，卵子和精子才会形成，最终实现受精。花粉落在卵子上后，会形成“花粉管”，精子通过花粉管进入卵子，完成受精过程。

换句话说，松树的精子不需要在水中游动就能完成受精，也就是说不需要水了。裸子植物创造了令人惊讶的系统，颠覆了长期以来“受精需要水”的常识。

松球

然而，这个系统仍然存在有待改进的地方。裸子植物的卵子要在花粉到达后才会开始成熟，而无论如何都需要耗费很长时间。

而被子植物则设计出了一种更加快速的新系统：在雌蕊深处预先使卵子成熟。如此一来，等花粉到达时，受精的准备工作早已完成，花粉管可以立即伸出来，将精子送至卵子，完成受精。这个过程可能只需几分钟，最长也不过数小时。与裸子植物从花粉到达到受精结束需要一年以上相比，被子植物的受精过程有了革命性的缩短，在植物界引起了轰动。

受精时间短就有助于提高受精的成功率。所以，这一创新还产生了更大的影响，那就是快速的受精过程使得世代更替的速度也大大加快，进化速度由此变得十分惊人。

再然后，被子植物发明了一种划时代的传粉方法，利用花蜜来吸引昆虫，也就是我们在前一章已经介绍过的“利用被吃”的方法之一。

新时代的到来

另一种“利用被吃”的方法，是利用子房来保护胚珠。这是一种全新的途径。

按照科学教科书里的说法，裸子植物和被子植物的区别在于胚珠是否暴露在外。

裸子植物的胚珠是裸露的，而被子植物为了保护这些关键的胚珠，将它们包裹在了子房中。有了子房的保护，胚珠就能在干燥的气候条件下存活。或许，最初被子植物采用子房来保护胚珠，是为了避免宝贵的种子被吃掉。但随后，被子植物选择了通过扩大子房的保护作用来结出果实，并将它们作为动物的食物。

动物食用植物的果实时，种子会被一起吃下去，然后随着穿过消化道，同粪便一同被排出体外，从而成功地进行迁移。

植物给动物提供吃的，而动物则为植物搬运种子，形成了一种共生关系。

对无法移动的植物来说，它们一生中只有两次机会来扩大自己的活动范围。第一次是通过花粉的传播，第二次则是通过种子的传播。

植物依赖于能够飞行的昆虫来传播花粉，而种子则通过动物的帮助来进行迁移。

绿果勿食，红果饱香

果实成熟后，会逐渐变得鲜红。树枝上那些成熟的水果，如苹果、桃子、柿子、橘子、葡萄等，通常呈现偏红的色调，如橙、粉、紫，使水果显得异常醒目。

交通信号中，表示“停止”的信号被指定为红色，是因为红色的波长较长，相比其他颜色，更容易传播到远处。同理，水果选择红色，也是为了方便从远处就能被看到。此外，植物的其他部分大多都是绿色的，果实成熟后呈现出偏红的色调，显然能更加醒目。

未成熟的果实并不显眼，多是和叶子一样的绿色，而且没有甜味，还带有苦味。未成熟的种子被吃掉，对植物来说是很大的损失，所以它们必须通过储存苦味物质来保护自己的果实。

例如，涩柿子中的单宁酸、未成熟的青苦瓜中的苦瓜叶素和苦瓜苷等物质，就都是用来保护果实的。最终，随着种子的成熟，果实中的苦味物质会逐渐消失，并开始储存糖分，使其变得甜美可口。这时，果实的颜色会从绿色变为红色，表明可以食用了。

这就是植物果实发出的信号："绿果勿食，红果饱香。"

精心挑选合作伙伴

然而，大多数哺乳动物其实无法识别作为成熟标志的红色。包括人类在内的猿类能够识别红色，是例外中的例外。哺乳动物的祖先是夜行动物，视力在演化过程中逐渐退化，无法识别颜色。

实际上，许多植物选择鸟类而不是哺乳动物作为采食果实和携带种子的伙伴，并非偶然。哺乳动物有牙齿，可以咬碎果实，所以植物会担心它们把种子破坏掉。而食草动物为了分解植物纤维，拥有较长的消化道，致使种子还没排泄出去，就可能已经被消化掉了。

相比之下，鸟类没有牙齿，会把果实囫囵吞下去，而且它们的消化道也相对较短，种子可以安全通过而不被消化。此外，鸟类的飞行能力强，可以覆盖更远的距离，所以就成了植物最佳的合作伙伴。这就是为什么比起哺乳动物来，植物更希望吃自己果实的是鸟类。

那么，植物如何确保只有鸟类才能吃到呢？辣椒是一个明显的例子。

辣椒

如前所述，红色是果实成熟和甜美的标志。辣椒的果实呈红色，但并不甜。这又是为什么呢？事实上，辣椒对被谁吃是有选择性的。

哺乳动物没法吃辣椒。鸟类却可以毫无忌惮地吃，因为它们对辣味不敏感。或许这就是辣椒选择了鸟类，而不是哺乳动物作为其种子传播伙伴的原因。

然而，对不希望被哺乳动物吃掉的辣椒来说，有一种高级的哺乳动物却十分乐于吃它，那就是人类。人类热衷于吃辣椒，而且能比鸟儿走得更远，所以把辣椒传遍了全球。这对辣椒来说一定是意想不到的福音。

柠檬的酸味也有其特殊之处

涩柿含有单宁酸，这是一种苦涩的物质，所以人无法直接吃。

人们会在采摘涩柿后，将其晾晒以去除涩味，然后再食用。涩柿也含有甜味，去除苦涩后当然就只剩甜了。甜柿干就是这样制成的。

然而，涩柿之所以苦涩，只是因为不想被人吃掉吗？显然不是。如果不被采摘下来，涩柿可以继续成熟，直到涩味消失，变得甘甜可口。留在树上那些未被采摘的柿子，会被鸟类食用，种子便会随之传播出去。但是，成熟的涩柿果肉会变得很烂，无法供人类食用。

值得一提的是，我们平时吃到的甜柿，已经经过了基因变异，不会再产生苦涩味。换句话说，尽管更方便人类食用，但从植物角度来看，甜柿是有缺陷的。

柑橘类水果含有酸味，目的也是防止被食用。由于人们更喜欢酸味和甜味之间的平衡，所以会在橘子酸味尚存时就被采摘下来。但如果让橘子留在树上，酸味会逐渐消失，甜味则会逐渐增加。

柠檬以其酸味而闻名。令人惊讶的是，柠檬在完全成熟后并不会失去其酸味。酸柠檬确实连鸟类都无法食用。那么，野生的柠檬是如何传播种子的呢？

事实是，有些鸟类能够吃下酸溜溜的柠檬果实，比如鹦鹉。在柠檬的产地之一印度，某些鹦鹉会吃柠檬果实并散播种子。看来柠檬对于其食用伙伴也十分挑剔。

再度下毒

辣椒中的辣椒素，可以被视为一种弱毒素。辣椒灵巧地运用了这种毒素来保护自身免受哺乳动物的侵害，同时只允许鸟类食用其果实。同样，野生植物中的许多果实对哺乳动物而言都具有毒性，但受到鸟类的喜爱。

然而，问题仍然存在。虽然让鸟类运输种子确实是个好主意，但如果鸟类把所有果实一口吃掉，再把种子和粪便一并排出，那种子就会散布到同一地点。虽然希望鸟类吃下果实，但植物却希望种子被散布到不同地方，所以这种情况并不理想。

于是，有些植物也会对鸟类用毒。例如，南天竹对哺乳动物有毒，对鸟类也一样，但鸟类却能够吃下它的果实，只不过无法一次性吃太多而已。通过利用弱毒素，南天竹让鸟类多次、少量地食用其果实，或者被多只鸟分食，避免了果实被一次性吃光。

子房可不能被吃掉

桃子的果实中蕴含着一颗硕大的种子。相对于果实的体积，这个“种子”似乎有些大了。通常被称作“核”的东西，实际上并非真正的种子。看似种子的那部分，实则是果实中变硬的一部分。真正的种子藏匿在硬壳的内部，那里才是桃仁，是真正的种子。

诚然，通过让动物吃果实来传播种子是个不错的方法，但如果种子在动物的消化道中被消化掉，或者动物咬碎了重要的种子部分，那就不太理想了。因此，桃子用坚硬的桃核将种子包裹起来，以保护它们。

种子周围的这部分保护性区域，其实是子房的一部分。子房原本是为了保护种子而存在的，但植物将其转化成了果实，以便被吃掉。

梅子种子的结构与桃核相同。有些人喜欢敲开梅子的种子，吃里面的果仁。从梅子种子中取出的果仁，才是真正的种子。桃树和梅树都属于蔷薇科。据说，在植物进化的历程中，蔷薇科是最早采用让动物以自己的果实为食，并散播种子这一创新策略的植物之一。

而在这个蔷薇科家族的果实中，还有其他一些先进的理念。

苹果的创意

苹果也属于蔷薇科，但其保护种子的机制与桃子、梅子完全不同。

一般而言，植物的果实是由雌蕊的根部子房发育而成的，可苹果却不太一样。我们看到的红红的苹果，实际上是由花的根部（被称为“花托”）变大后将子房包裹而成。因为不是真正的果实，所以这类植物的果实被称为“假果”。那么，真正由子房产生的果实在哪里呢?

事实上，我们吃苹果时留下的果核部分，才是由苹果的子房转化而来。在坚硬的果核包裹之下，种子避免了被吃的命运。

如前所述，桃子和梅子是通过硬化部分果实来形成果核、保护种子。相比之下，苹果则是通过发育花托来结果，其子房虽然未形成果实，但还是起到了保护种子的作用。

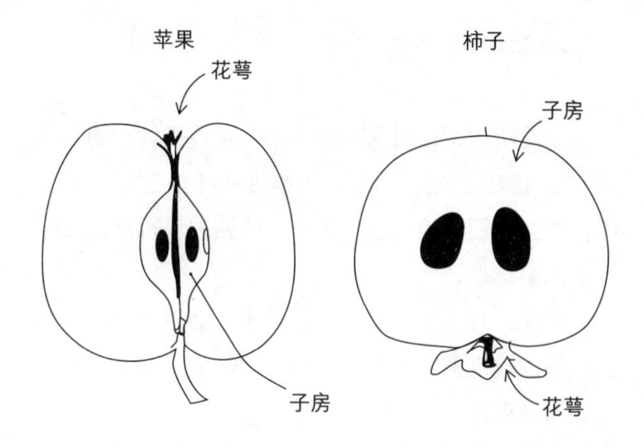

由于一般果实都是子房发育而成，所以花下方的花萼会在果实下方留下痕迹。例如，柑果就是由子房形成的真果，在其果柄与枝条相连的位置，你会看到有一个凹陷的“脐”，那就是原先的花萼。

同样的情况也适用于柿子。将柿子掉过来看，就会发现花萼在果实的底部。所以，柿子树的果实同样是由子房形成的真果。

但苹果不是这样。如果你仔细观察，就会看到苹果的果柄部分没有花萼。但在果柄的对面，你会发现果实凹下去的部分中残存着一点点花萼。鉴于花的位置应该在花萼上面，所以苹果的花萼和果柄之间的果实，就只能是由花的根部发育而成。

动物也能作为己用

如前所述，让哺乳动物吃果实来传播种子的方法存在着很大的风险，因为哺乳动物可能会把果实咬碎，并且它们的消化道也很长，致使种子很难被安全排泄出去。

然而，有些植物为了传播种子，会不惜让动物将其吃掉。这真的是需要割肉断骨的魄力。那么，它们是如何做到这一点的呢?

秋天到来时，老鼠和松鼠开始搜集橡子，为过冬储备食物，比如麻栎和枹栎等树木的果实。老鼠和松鼠会吃掉一部分橡子，但也会留下一些，有时还可能会忘记藏匿地点。

到了春天，幸存下来的橡子便有了发芽、生长的机会。正是由于老鼠和松鼠的帮助，麻栎和枹栎的种子才能够被有效地传播开来，从而扩大树木的分布范围。

然而，要想将前来吃橡子的松鼠和老鼠变成合作伙伴，这些树木还是需要下一点儿功夫的。如果为了避免被全吃光而结出大量的橡子，那么老鼠和松鼠会因为食物充足而大量繁殖，反过来把橡子全吃光。那么，树木们应该采取什么措施，来避免这种情况的发生呢?

它们会通过“丰年”和“歉年”来控制橡子的产

量。在歉年，橡子稀缺，松鼠和老鼠数量不会过多增加。而在“丰年”，大量橡子结出，老鼠和松鼠又吃不完，于是一部分就会被留下来。

那些结出果实的植物也有所谓的“丰年”和“歉年”，目的是防止食用果实的鸟类数量增加太多。这种“通过被吃而成功”的策略，的确需要非常精心地规划。

总而言之，植物不仅没有避免子房被食用，反而促使其发育，为动物们提供了甜美的果实。而对于那些吃橡子的小动物，植物为了利用它们，则选择了提供更多的橡子。

Chapter 06 敌亦不凡：植物*vs*人类

苍耳

吃果实的哺乳动物

正如前文所述，植物的果实变红是成熟的标志。这一变化并非为了那些无法识别红色的哺乳动物，而是为了那些能够辨别红色的鸟类。在恐龙统治地球的时代，哺乳动物的祖先为了躲避恐龙而过着夜行的生活，逐渐丧失了识别红色的能力。

在现存的哺乳动物中，唯一能够看到红色的物种是类人猿，如大猩猩、黑猩猩和猩猩。当然，作为类人猿的一种，人类也能够辨别红色。类人猿的祖先因为基因突变，重新获得了辨别红色的能力。

虽然不确定类人猿是因为需要吃森林中的果实而开始能够辨别熟果实的颜色，还是因为能够看到红色而开始以果实为食，但无论如何，类人猿开始像鸟类一样，学会了识别成熟的红色果实，并以其为食。

那对植物而言，类人猿到底是怎样的存在呢?

的确，类人猿也能像鸟类那样食用植物的果实，并为其传播种子。但通过观察，我们会发现黑猩猩或猩猩吃完果实后，往往会原地吐出种子。与能把种子传播到远处的鸟类相比，类人猿显然不是植物的优秀合作伙伴。

人类的诞生

森林可以提供很多隐蔽之处，但草原上视野开阔，难以躲藏，对许多生物来说都是一个相当严酷的环境。

正如第五章中讲过的那样，禾本科植物在草原上进化出了防御食草动物的能力，而食草动物，如牛、马等，为了躲避食肉动物，则进化出了更快的奔跑能力和更大的身躯。

此外，其他一些生物在草原上取得了戏剧性的进化，比如人类。

人类的进化仍然充满了诸多谜团。一般认为，人类起源于非洲大陆。据说，非洲的地壳隆起后，导致广袤的森林被分隔，部分森林变得干燥，最终变成了草原，这对人类的进化产生了深远的影响。失去了森林这个庇护所的猿类，为了在广阔的草原躲避天敌，开始直立行走，并学会了利用工具和火来保护自己。

利用植物的人类

人类在自然界中其实是异常脆弱的存在。

虽然通过使用工具和火，人类在一定程度上弥补了自己的弱点，可以尽量免受食肉动物的伤害，但这还远远不够。为了生存，人类必须获取更多的食物。

在植物丰富的森林中，各种果实应有尽有，可在植物稀少的草原上，足够的食物就很难获得了。

或许我们现在觉得狩猎生活听起来很潇洒，但有观点认为，人类最初可能只能像鬣狗那样，以其他动物吃剩的骨髓为食。就这样，人类一边害怕食肉动物，一边通过这种方法获取了一点点食物。

但后来，人类意外地找到了一个强大的盟友，那就是禾本科植物。它们经过进化，已经无法被哺乳动物吃掉，但其种子里富含生存所需的各种物质，营养价值很高。

比如，小麦的祖先是一粒小麦。这是一种生长在草原上的禾本科植物，结籽后就会开始散播种子。但后来，一粒小麦发生了变异，出现了不会散播种子的变种。

这种突变体无法自行传播种子，因而也无法繁衍后代。但是，人类却看中了这个独特的突变体。对植物来说，种子无法掉落是一种致命的缺陷，但对人类来说却很方便。

人类可以将其收获，作为粮食储存起来，并进行栽培。正是由于这种突变体的出现，人类开始了农耕生活。

栽培农作物让人类拥有了稳定的食物来源，但这个过程也需要投入大量的劳动。如果狩猎生活能提供足够的食物，或许人类就不需要特意去做这些努力了。可见，人类的祖先之所以选择农耕，显然是曾经面临过严重的食物匮乏。

自古以来，人类就善于利用植物来方便自己的生活，用木材和茅草搭建房屋，用植物纤维来制作衣服，以及把各种植物作为食物，构筑起了丰富的饮食文化。

因此，选择农耕生活的人类成功地获得了足够的食物，进而建立起村庄，开始群居生活，并最终创建出了文明。

毒素亦可善加利用

正如前文所述，为了抵御哺乳动物的捕食，植物进化出了毒素。但作为哺乳动物的人类，后来居然开始利用起了这些毒素。

与自然界的其他生物相比，人类显得脆弱不堪，所以为了捕杀那些体形庞大的猎物，我们学会了使用涂抹植物毒素的毒箭。此外，我们还会把毒素投到河里捕鱼，或者用它来驱蚊和杀虫。

然而，人类并没有止步于此。我们还喜欢上了一些食用植物准备的毒素，觉得有些苦味吃起来还挺可口。这对植物来说绝对是出乎意料的情况。比如，蕨菜和芦笋这类春季野菜中都含有苦味物质，目的是要保护它们弱小的嫩芽。可人类吃起来却感觉津津有味。同理，洋葱和大葱这类植物中所含的辛辣味也是为了防止害虫和哺乳动物的侵害，但到人类嘴里就成了难以抗拒的美味。就连芥菜和山葵这样辛辣的植物，人类也欣然将其变成了食物。

此外，由茄科植物烟草的草叶制成的香烟，其中所含的尼古丁原本也是用来防止昆虫和动物侵害的毒素。但一些人却说，自己没有尼古丁就活不下去了。植物听了，一定会感到难以理解吧。

植物与小孩子利益一致

植物不希望自己的果实早早被吃掉，所以未成熟的果实会呈现出与叶子相同的绿色，尽量避免被注意到，而且还会带有苦味，让动物觉得吃起来并不可口。

但人类却是一种十分不好对付的生物，甚至连未成熟的果实都愿意欣然享用。比如，绿色的青椒就属于未成熟的果实。成熟之后，青椒最终会变成红色，可人类却偏偏喜欢吃绿色的。以苦味著称的苦瓜同样是未成熟的果实，成熟后会变成橙色，吃起来也更甜，但对人类来说，未成熟的苦瓜吃起来反倒别有风味。

小孩子都喜欢甘甜的水果，讨厌吃青椒和苦瓜，这在生物学上是非常正常的反应。毕竟，甜美的果实就是植物为了被食用而演化出来的。对现代人来说，过量摄入糖分当然有害，但在自然界中，食用甜美的食物并不会有什么危险。

人类在进化过程中，学会了把植物制造的毒素感知为“苦味”，所以孩子们不喜欢苦味的蔬菜也是理所当然。可以说，不愿被食用的植物和不愿吃苦味的儿童，利益是一致的。但是，成年人却把植物刻意制造的毒素当作了美味，还强迫小孩子吃那些苦味的蔬菜，而且必须“吃光”。植物一定不太理解成年人类的这种喜好。

温和的毒素可以让人放松

植物为了自我保护而含有多少不等的毒素，而人类似乎对这类毒素情有独钟。

比如，人们喜欢的绿茶、红茶、咖啡、可可等都具有提神或放松作用，而部分原因就是相关植物中温和的毒素发挥了作用。

此外，香道和百花香释放的芳香气味，也能让人感到清新爽快。而如今很多人都喜欢的“森林浴”，正是因为森林中的各种植物释放出来的物质可以驱赶害虫和病原菌。那么，这些植物毒素和森林空气中的毒气，为什么会对人类有益呢?

这是因为上述饮料或香料中所含的毒素，以及森林中弥漫的那些毒素，都不足以致命，反而能产生一种刺激作用。具体说来就是，人体受到温和毒素的刺激后，为了保护性命会进入防御状态，而这种紧张的感觉能够激发我们的生存本能，为我们带来活力。

毒与药之间的界限确实很微妙。少量的毒素如果能对人体产生良好的刺激，就会被当成药来用。事实上，很多药材能够产生药效的成分，正是许多植物为了杀死微生物和昆虫而积累的毒素。

无毒不“快活”

苦味、涩味、辣味等本来是植物为了抵御被吃而准备的物质。一般的哺乳动物通过舌头的味觉和鼻子的嗅觉可以感知到这些成分，从而避免摄入。

但人类这种哺乳动物，却好像很喜欢摄取这类毒素。不仅如此，咖啡中的咖啡因和烟草中的尼古丁等成分，甚至还会让人产生严重的依赖性。为什么会出现这种情况呢?

原因就在于植物产生的毒素会作用于人的神经系统。如果毒素足够强，神经会麻痹，人就会死去。但如果摄入的剂量没有达到致命的程度，那毒素则可作用于神经而产生，给人体带来各种影响。

其中一种作用是激活神经系统的兴奋效应。从麻黄中提取的兴奋剂和从古柯树中提取的可卡因等成

大麻

分，都具有兴奋神经的作用。而有些毒素则恰恰相反，可以起到抑制神经活动的作用，产生镇静效果，如罂粟制成的吗啡、海洛因，以及桑科植物大麻。

这些症状是人体功能受到麻痹后产生的异常反应。烟草中的尼古丁也会造成类似的效果，因为尼古丁与神经递质乙酰胆碱很像，可以作用于乙酰胆碱的接受体，从而刺激神经系统。

这类毒素作用较弱，但依旧会对人体造成危害。因此，人体会想办法代谢掉这些毒素。例如，喝了咖啡后容易频繁上厕所，就是因为身体在试图把咖啡因排出体外。

然而，长期摄入毒素后，人体对这些成分的解毒能力会逐渐增强，产生耐受性。但这种机制仅仅是紧急情况下的应急系统，如果长期摄入毒素，我们的身体会慢慢适应，并将解毒视为常态。这就是为什么一旦停止摄入某些毒素时，身体反而会出现紧急情况，导致生理反应异常，也就是所谓的“戒断症状”。

毒素带来幸福感的原因

对很多人来说，巧克力、咖啡等不仅能让人放松，还能带来某种充实的幸福感。可植物为了自我保护而产生的毒素，为什么能给人带来这样的感觉呢?

这是因为摄入毒素后，人体会开始代谢并将其排出。但受到毒素刺激的大脑感受到相关异常后，会判断身体处于不正常的状态，进而开始分泌内啡肽，一种具有镇痛作用的物质，以便缓解毒素带来的痛苦。内啡肽有着缓解疲劳和疼痛的作用，因此能让我们的身体产生快感，体验到一种难以忘怀的感受。很多人无法戒除巧克力、咖啡，以及香烟，原因正在于此。

植物为了自我保护而产生毒素，人体为了保护自身而努力排除毒素。在这场战斗的最后，人类体验到了极大的快感，但也不可避免地上了瘾。

作物的阴谋

为了自身需要，人类一直在按照自己的意愿改造植物。于是，萝卜变得硕大无比；卷心菜不再张开叶子，卷成了圆形；曾经只有五片花瓣的蔷薇，则把雄蕊和雌蕊也变为花瓣，最终成了重瓣花。

那么，这些植物是被人类的私欲随意摆布的受害者吗？被栽培和驯化的植物是否完全向人类屈服了呢？

绝对不是这样的。

植物一直都在通过各种方式扩大自己的领地。例如，蒲公英的种子上长出了茸毛，使得它们可以借助风力传播；苍耳结出了带刺的果实，可以沾在人的衣服或动物的皮毛上，从而被带到远方。植物的所有这些努力，都是为了将种子传播得更远，让分布范围尽可能扩大。

那么，人类栽培的植物又是怎样的呢？人类利用船舶和飞机，把原本生活在某个角落的植物扩散到了世界各地，悉心播种、浇水、施肥、除虫、除草，为它们解决了后顾之忧。

从扩大分布范围的角度来看，被人类栽培的各种植物可以说取得了空前的成功。考虑到人们自发将种子传播到世界各地所带来的好处，或许迎合人类的喜好来改变形态，对植物来说根本不算什么。毕竟，植物可以为了传播花粉而给昆虫提供花蜜，可以为了传播种子而为鸟类准备甜美的果实，那么为了扩大自己的势力范围而给人类提供美味的蔬菜和水果，又算得上多大点儿事呢?

人类常常自认为可以随意改良植物，但说不定是植物只是为了满足人类的需求在自我进化而已。我们这些自以为在利用植物的人，很可能反而被植物利用了。

新敌人的登场

然而，并非所有植物都愿意顺从人类。有些植物选择了揭竿而起，向人类发起挑战，比如“杂草”。

杂草侵入田地和菜园，不断窃取人类施加的肥料，阻碍农作物的生长，并且还在人类的生活空间中肆意繁衍，妨碍我们的日常生活。

那么，到底什么算是杂草呢?

美国杂草科学学会（Weed Science Society of America）给出的定义是：“一切违背人类的活动、幸福和繁荣，或者对其产生干扰的植物。”这是何等邪恶的植物啊。在西方的一些传说中，杂草被认为是恶魔种下的。妨碍人类幸福的新敌人，就这样登场了。

人类通过开垦田地，从事农业活动，终于过上了稳定的生活，建立了文明社会。不过，有人说，农业的历史其实是一部与杂草的搏斗史，因为自古以来，人类一直在同各种杂草做斗争。

躲过除草的杂草

在过去，从事农耕活动是一份艰辛的工作。人们必须在田野间来来回回地除草。然而，人除草固然辛苦，可站在杂草的立场看，它们的日子也不好过，必须想尽办法自保，躲过一次又一次的除草行动。

栽培水稻的稻田，是一个需要经过反复除草的地方。如果是小杂草，或许还可以藏身在稻株之间，但如果是大型杂草，似乎就在劫难逃了。那么，大型杂草是如何躲过一次又一次的除草的呢?

解决了这一难题的杂草，是一种名为“水田稗”的禾本科植物。

从外观上看，水田稗几乎长得和水稻一模一样，

水田稗

从而骗过了人类的眼睛，得以在稻田的除草工作中幸免于难。俗话说“以假乱真”，水田稗通过混杂在众多水稻之间，完美地隐藏了自己。

变色龙会随环境变化改变自己的颜色，竹节虫的身体和四肢看起来就像树枝，这类模仿其他物体来隐藏自己的行为，被称为“拟态”。所以，模仿水稻外观的水田稗，也是会“拟态”的杂草，在多次除草的过程中，那些与水稻相似的水田稗个体最终存活了下来。

杂草越除越多?

清除院子里的杂草，是一项十分辛苦的工作。

更气人的是，即使我们觉得当时已经把杂草彻底清理干净了，一个星期之后也会有新的杂草冒出来。为什么杂草会如此顽强呢?

我们除完旧杂草之后，之所以还会有新的长出来，实际上恰恰是因为人类在除草时，无意间促进了杂草种子的发芽。

许多杂草的种子都具有被光刺激后便开始发芽的特性。这被称为“光发芽性”，简单来说就是，光线的照射给了种子信号，告诉它们周围已经没有别的竞争对手了。

杂草被拔除后，阳光可以照射在土壤上。有一部分土壤还会在拔草过程中被翻起来，彻底暴露在阳光下。于是，原本沉睡的杂草种子，便开始一齐发芽了。

贴近人类的战略

有个说法叫“像杂草一样顽强”。在人们眼里，杂草似乎总是一副“百折不挠”的形象。但在植物学中，杂草其实不算是什么强大的植物，反而可以说是相当“弱小”。

本书第二章中介绍植物与环境的斗争时，曾提到过杂草在同其他植物竞争时处于劣势地位。植物们为了生存下来，会激烈地争夺阳光、水、生长空间。所以，在茂密的森林这类植被繁盛的地方，杂草几乎不具备什么生存能力。

于是，杂草只能选择在其他植物无法生长的地方繁衍生息，而这些地方通常就是人类的生活场所，比如人来人往的路边或是经常要被除草的农田。

虽然除草或犁地对杂草来说很严酷，但因为这样的人为管理，强大的植物也失去了入侵的机会。如果人们停止除草，那么竞争力更强的植物将会接连入侵，彻底将杂草摧毁。

这听起来好像一个充满了禅机的问题：不除草，杂草会死去；一除草，杂草反而活得好。

杂草只能在人类居住的地方生存。虽然不愿被除掉，但如果不这样，它们就无法生存下去。这是杂草必然要背负的宿命。

对杂草来说，人类并不是敌人，而是不可或缺的存在。事实上，杂草只有紧紧挨着人类才能存活。

或者更准确地说，是它们必须寄生在人类周围，并利用人类。

人类创造的植物——杂草

无论在水田或旱田里，还是在街道旁或空地上，只要在人类生存的地方，就总能看到杂草的身影。可在深山老林中，就很难看到我们身边那样的杂草了。那在人类出现之前，杂草是如何生存的呢?

据说，杂草的起源可追溯至冰河时期。竞争力较弱的杂草无法在其他植物生长的地方生存。冰河时期气候不稳定，造山运动让地形变得多种多样，在洪水泛滥的河滩和山体崩塌后的山坡这类大自然偶尔形成的不毛之地上，杂草的祖先找到了栖息之地。可以说，在人类出现之前，它们的生存地点应该都是极为有限的特殊地带。

但随着人类的出现，它们的生存环境发生了翻天覆地的变化。人类改变了自然，创造出了不适合强大植物生长的环境。当人类开始农耕生活、建立村落后，道旁的杂草已然存在。随着农业的发展，原本生活在村落里的一些杂草还逐渐侵入了田间。

杂草通过适应农事、除草等人类活动，不断进化繁衍，到如今，甚至已经到了无法离开人类而生存的地步。

在漫长的历史中，人类通过改良野生植物培育出了许多新的作物和蔬菜。然而，看似随意生长的杂草，实际上也是人类创造的植物。

除草剂的开发

为了结束与杂草之间无休止的战斗，人类打造出了最终武器："除草剂"。

除草剂的历史并不悠久。虽然关于除草剂的起源有许多说法，但首次广泛使用的除草剂应该是第二次世界大战期间由英国开发的一种叫作"2, 4-D"的物质。

除草剂只能消灭杂草，而不能让庄稼枯萎。"2, 4-D"对双子叶植物有效，但对禾本科植物无效，所以种植小麦和玉米的时候，经常会用到这种除草剂。

随后，各种各样的除草剂被陆续开发出来，使人类不再受到它们的困扰。

以前，人们不得不反复除草，但有了除草剂之后，就不需要这样做了。除草剂的出现的确消灭了许多杂草。

最近，日本环境省列出的濒危动植物名单中，杂草居然也名列其中。确实，除草剂正是人类战胜杂草的响亮宣言。

超级杂草的登场

然而，战斗并未就此结束。尽管受到除草剂的迫害，但杂草们也一直在寻找反击的机会。后来，即使被除草剂喷洒过也能存活的杂草突变体出现了。

具有抗药性在菌类和昆虫中很常见，但植物不像它们那样世代更新速度快，所以一般被认为不会产生抗药性。然而，被逼至绝境的杂草推翻了这一定论，最终诞生了变种“超级杂草”。

因为人类频繁使用、过度依赖除草剂，杂草甚至无须发展其他的生存策略，只需学会应对除草剂就可以继续生存了。

连除草剂也无计可施的杂草，被称为“超级杂草”，其中最让人头疼的是耐草甘膦的杂草。草甘膦是一种对环境危害小、安全性较高的除草剂，但它也有一个缺点，那就是可以对任何植物产生毒性作用。但人类想要在不危害农作物的前提下去除杂草，于是通过基因编辑，创造出了耐草甘膦的农作物品种。这样，人们就可以在田间安心使用草甘膦了。

草甘膦的出现似乎解决了令人头疼的杂草问题。但不久之后，即使被喷洒了草甘膦也不会枯萎的杂草，便开始出现。这就是耐草甘膦的杂草。如今，这些超级杂草正在肆意蔓延。

针对这些连除草剂也无可奈何的杂草，人类只能通过别的方法，如多耕地或调整种植时间，来控制它们的入侵。

农业的历史在一定程度上是人类与杂草的斗争史。无论在哪个时代，人类都得同杂草战斗，即使到了科技发达的21世纪，这种情况也没有太大改变。

人类与杂草的斗智斗勇依然在持续。只要人类继续繁衍，杂草也将继续繁衍。

人类与植物的战斗，似乎永无止境。

敌亦不凡

人们常把默默努力的普通人称作“杂草军团”。这一称呼并无贬义，因为对于那些像“杂草”一样历经千辛万苦、终于收获成功的人，人们会由衷地发出惊叹，想要毫不吝啬地为之鼓掌。

真是不可思议。人们一直都在想方设法除掉难缠的杂草，可为什么又要赋予它们这么美好的形象呢?

据我所知，正如“杂草军团”或“杂草之魂”这类说法所反映的那样，对杂草持有好感的似乎只有日本人。可为什么日本人会对杂草怀有好感？难道日本的杂草不如其他国家的难缠吗？好像也不是。相反，日本的杂草可以说相当顽强。

在高温多湿的日本，杂草生长迅速。几个月不除草，农田里就会杂草丛生，庭院里的杂草也几乎清除不完。每年政府都要留出庞大的预算，用作公园和道路边坡的杂草清理。而对农业来说，杂草更是一个极为严重和迫切需要解决的问题。

日本的农业历史就是与杂草的战斗史。相比之下，欧美的杂草并不像日本这样猖獗。可总被杂草困扰的日本人，为何反倒会对杂草产生敬意呢？

对西方人来说，大自然是与人对立、被人主宰的对象。西方人喜欢与自然对抗，想要征服自然。但在高温多湿、植物生长迅速的日本，自然既带来了丰富的恩惠，也构成了巨大的威胁，日本人只能全力以赴去面对自然的奇迹。就这样，在激烈的抗争中，人们不由自主地生出了敬佩之情。对日本人来说，杂草既是强大的敌人，也是优秀的竞争对手。

在战斗中结下深厚友谊，这在电视剧中很常见。人与杂草的战斗结束后，是否会彼此开始惺惺相惜呢？

敌亦不凡。人类和植物在互相钦佩对方力量的同时，还会继续战斗下去。

后记：战斗未止

自然界是一个弱肉强食、适者生存的世界，当然也就没有规则或者道德可言。所有生物都为了自己的生存而在无休无止地斗争着。

自然界的战斗残酷无情，不是你死就是我亡。那么，在这个杀气腾腾的过程中，植物最终达到了怎样的境界呢？

在与菌类的斗争中，植物没有阻止真菌的入侵，而是选择了与之共生的道路；

在与昆虫的斗争中，植物没有阻止花粉被吃，而是利用昆虫替自己传递花粉，建立起一种互利共生的伙伴关系；

在与动物的斗争中，植物没有阻止动物去吃子房，而是让子房逐渐肥大起来，结出了诱人的果实，然后以此作为交换，让动物帮自己把种子传播出去。

植物不仅与强大的敌人作战，还尝试利用了敌人的力量。最终，在战斗结束后，植物与敌人实现了一种双赢的共存关系。

为了与其他生物建立共存关系，植物总会优先考虑对方的利益，然后“先施与人”。“施比受更为有福”，这就是植物已经达到的境界。

相比之下，人类做得怎样呢？人类已经征服了整个大自然，但也把其他生物打击得体无完肤。如今，人类每天都在将数百种生物推向灭绝的边缘。在这个严酷的自然界中，人类似乎一定要取得胜利。

但事情还没完。说到底，如今的地球环境是植物的祖先创造出来的。植物吸收大气中的二氧化碳，释放出了氧气。经过几十亿年的时间，氧气越来越多，多余的氧气变成臭氧，形成了遮蔽整个地球的臭氧层。然后，依赖氧气的生物开始进化。臭氧层的存在有效减少了到达地面的紫外线，使得许多生物逐渐适应了陆地生活。于是，“丰富的生态系统”应运而生了。可人类活动却有可能把植物创造的地球环境恢复到原始状态。

人类不断地焚烧化石燃料，排放二氧化碳，使地球温度持续升高。而高浓度的二氧化碳和温暖的气候正是植物诞生前原始地球环境的缩影。

此外，人类还排放氟利昂，破坏了植物创造的臭氧层。在人类的“不懈努力”下，臭氧层出现了巨大的空洞。或许在不久的将来，有害的紫外线还可能会再次畅通无阻地抵达地面，就像植物诞生之前的地球环境一样。地球上原本并不存在生命，而人类对森林的砍伐，对生物栖息地的掠夺，很可能会导致所有生物灭绝，让地球再次回到生命诞生之前的样子。

植物改变的环境，或许最终会因人类活动而恢复到本来的面貌。

到底是植物选择与其他生物“共存”是正确的，

还是人类不允许其他生物生存并将其推向灭绝的做法正确？答案也许将很快揭晓。

在贯穿地球历史的植物之战中，人类取得彻底的胜利似乎指日可待了。

但那时，作为胜利者的人类会拥有一个怎样的世界呢？

到那时，人类又会过着怎样的生活呢？

致谢

最后，我要向为本书绘制插图的小堀文彦先生，以及在出版过程中提供了大力支持的筑摩书房的天野裕子女士，表示衷心的感谢。

小开本 CπQST N
轻松读文库

产品经理：姜　文
视觉统筹：马仕睿 @typo_d
印制统筹：赵路江
美术编辑：梁全新
版权统筹：李晓苏
营销统筹：好同学

豆瓣 / 微博 / 小红书 / 公众号
搜索「轻读文库」

mail@qingduwenku.com